edition suhrkamp

P9-DSZ-960

Redaktion: Günther Busch

Max Frisch, geboren 1911 in Zürich, lebt heute in Berzona; Hartmut von Hentig, geboren 1925 in Posen, ist Professor für Pädagogik an der Universität Bielefeld.

Am 19. September 1976 wurde in der Paulskriche in Frankfurt am Main Max Frisch der Friedenspreis des Deutschen Buchhandels verliehen; die Laudatio hielt Hartmut von Hentig. Beide Reden erscheinen in diesem Band. Sie sind bedenkenswert über ihren Anlaß hinaus. Was sie wirklich bedeuten, bedeuten könnten, erschließt sich dem denkenden Leser, sofern er bereit ist, den Fragen, die hier gestellt worden sind, den Zweifeln, die in den Texten vorkommen, nachzugehen. Es handelt sich um politische Reden: »*Wahrheitsarbeit*« *und Friede* lautet der Titel der einen (von Hentig), *Wir hoffen* das Programm der anderen (Frisch). »Ob der Überlebenswille der Gattung ausreichen wird zum Umbau unserer Gesellschaften in eine friedensfähige, weiß ich nicht. Wir hoffen. Es ist dringlich. Das Gebet für den Frieden entbindet nicht von der Frage nach unserem politischen Umgang mit dieser Hoffnung, die eine radikale ist. Der Glaube an eine Möglichkeit des Friedens (und also des Überlebens der Menschen) ist ein revolutionärer Glaube.« In diesen Sätzen von Max Frisch steckt eine Herausforderung. Wenn Politik heute mehr sein will, mehr sein soll als die Organisierung und Verwaltung der Friedlosigkeit, muß sie diese Herausforderung ernst nehmen.

Hartmut von Hentig
Max Frisch
Zwei Reden
zum Friedenspreis
des Deutschen Buchhandels 1976

Suhrkamp Verlag

edition suhrkamp 874
Erste Auflage 1976
© Suhrkamp Verlag, Frankfurt am Main 1976. Erstausgabe. Printed in
Germany. Alle Rechte vorbehalten, insbesondere das der Übersetzung, des
öffentlichen Vortrags und der Übertragung durch Rundfunk und Fernse-
hen, auch einzelner Teile. Satz in Linotype Garamond und Druck bei
Nomos Verlagsgesellschaft, Baden-Baden. Gesamtausstattung Willy
Fleckhaus.

Inhalt

Hartmut von Hentig
»Wahrheitsarbeit« und Friede

Rede auf Max Frisch zur Verleihung des
Friedenspreises des Deutschen Buchhandels
am 19. September 1976

Als ich gebeten wurde, heute die Lobrede auf Max Frisch zu halten, habe ich mir Bedenkzeit erbeten. Ich hatte mich zu prüfen, ob ich das konnte und ob ich das wollte. Diese scheinbar unfreundliche und jedenfalls scheinbar unnötige Bemerkung zu Beginn einer Lobrede, die ich nun ja doch halte, gehört zur Sache.

Wenn Hartmut von Hentig hier über Max Frisch reden sollte und nicht ein Kollege (sagen wir Alfred Andersch oder Siegfried Lenz) und nicht ein Kundiger der Literaturwissenschaft (sagen wir Peter Wapnewski oder Hans Mayer), dann war damit deutlich gesagt: es geht nicht darum, daß hier die literarischen Qualitäten seines Werkes (was immer man darunter verstehen mag) gelobt werden, sondern dessen politische Wirkung. Und weil diese in erster Linie über die Einbildungskraft, ein inneres Erlebnis, eine sich an ihm erst entwickelnde Fähigkeit des Einzelnen geschieht, mochte man einen Pädagogen für zuständig halten.

Überzeugender freilich wäre ein Politiker gewesen – etwa der Bundeskanzler Helmut Schmidt, der Max Frisch nach China mitgenommen hat, oder ein Mitglied des Bundestags und Parteivorstands, etwa Richard von Weizsäcker. Sie hätten sagen können, ob und worin das Werk von Max Frisch denen, die Frieden zu machen haben, hilft. Ja, es muß einem Mann wie Max Frisch und denen, die seine Auszeichnung mit einem Friedenspreis ernst meinen, sehr daran gelegen sein, daß er ihn weder nur dafür bekommt, daß sein Werk »die Literatur deutscher Sprache bereichert« habe, noch nur dafür, daß sein »Werk im besten Sinne des Wortes modern und doch für das Publikum zugänglich ist«* und daß »er immer wieder zeitgemäße Paraphrasen jener unvergeßlichen Verszeile geliefert [hat]: ›Nichts Schönres unter der Sonne als unter der Sonne zu sein‹« (eine kostbare Zeile, fürwahr, aber von Ingeborg Bachmann und als Quintessenz von Max Frischs Dichtung so gut oder so wenig geeignet wie der Eduard Mörikes oder Ernst Jüngers). Das kann man sagen, aber wenn es um die Rechtfertigung eines Friedenspreises geht und inmitten der

* Marcel Reich-Ranicki in seinen Anmerkungen zur Preisbegründung, in *FAZ* vom 15. 5. 1976.

sogenannten »Tendenzwende« (wie lange dauert so etwas eigentlich?), wäre das ein offenkundiger Rückzug vor dem politischen Bekenntnis, das mit diesem Preis gemeint war.

Es gab nach dem Kriege (man muß inzwischen schon sagen, nach welchem – also nach dem sogenannten Zweiten Weltkrieg) in Deutschland Menschen, die wollten, daß es auch Dichter gebe, die Partei ergreifen – Partei für den Frieden. Sie haben nicht gesagt, daß alle Dichtung dies tun müsse, und nicht, auf welche Weise. Wie vielfältig das geschehen kann, demonstriert die Reihe der Preisträger seit 1950. Immerhin, es sollte jemand mit den Mitteln der Literatur, der Wissenschaft und der Kunst etwas »zur Verwirklichung des Friedensgedankens beitragen«.

Und da sind wir bei dem entscheidenden Wort: »Verwirklichung« eines Gedankens – nicht einen Gedanken haben oder ihm huldigen, ihn wiederholen, ihn bestätigen, ihn aufschreiben, bei Suhrkamp drucken lassen unter vielen anderen Gedanken. Würde ich *das* darlegen können: daß Max Frisch zur

Verwirklichung einer Hoffnung auf Frieden (und welcher?) beiträgt, oder würde ich nur zeigen können,

– daß sein Werk auch von diesem *Thema* handelt – von Frieden und Friedlosigkeit, von Friedensnotwendigkeit und Friedensmöglichkeit,

– daß es die *Gesinnung* eines Mannes ausdrückt, die die Stifter des Preises teilen, und

– daß dies auf höchst *kunstvolle Weise* geschieht?

An dieser Alternative hatte ich meine Zusage zu prüfen. Ich habe nachgedacht und nachgelesen. Die Ergebnisse dieser Prüfung versuche ich hier mitzuteilen.

Frieden ist eine Sache der Politik; Frieden entsteht nicht beim Lesen eines Buches – auch nicht, wenn sehr viele Menschen dies zugleich tun. Aber eine Voraussetzung dafür, daß eine Politik geschehen kann – durchgeführt, befolgt, angepaßt, verändert, durchgehalten wird –, ist, daß Menschen ihre Ziele, Probleme und Chancen verstehen. Schon die Planung einer Politik ist abhängig von der Frage, wieviel Einsicht

und Einwilligung bei den Menschen voraus-
zusetzen ist: was sie von sich, den anderen,
der Lage verstehen.

  Zu diesem Verstehen verhelfen
– Menschen mit Erfahrung, die erlebt haben, wie es gegangen ist und darum
  wahrscheinlich wieder gehen wird: sie
  vermitteln die Wirklichkeit des Verstandenen (1);
– Menschen, die methodisch untersuchen,
  was jeweils vorliegt und es unter allge-
  meine Erklärungen subsumieren: sie vermitteln die Verläßlichkeit oder Gewißheit des Verstandenen (2);
– Menschen, die Vorstellungen haben, sich
  ausdenken, wie es sein könnte, die die
  Wahrnehmung aus ihren Fesseln frei-
  spielen: sie ermöglichen Vielfalt und
  Freiheit des Verstehens (3);
– Menschen schließlich, die Mut machen:
  sie ermöglichen das Wagnis des Verstehens, die Kraft, der verstandenen Wahrheit standzuhalten (4).

In unserem eigentümlichen (modernen)
Hang für Zuständigkeiten denken wir bei

den ersten (1) immer in erster Linie an Väter, alte Männer, allenfalls Historiker, bei den zweiten (2) an Wissenschaftler und Analytiker, bei den dritten (3) an die Dichter und bei den vierten (4) an Propheten und Parteiführer. Aber nicht nur nutzt uns die eine Hilfe wenig ohne die anderen – es hat insbesondere ein guter Dichter sicher immer alle vier Möglichkeiten, ja, wo die Sache, deren Verständnis er ermöglichen soll, etwas so Vielseitiges wie der Friede ist, da muß er sie wohl alle vier haben.

Ich habe jedenfalls die Debatten nie verstanden, in denen es vornehmlich darum geht, die Dichter auf eines zu verpflichten: die Entfaltung der Phantasie *oder* die Formung des richtigen Bewußtseins, die Entdeckung und »Protokollierung« der Realität *oder* die Kultivierung des Scheins, die Ermächtigung der Gegenrealität.

Der so eingeordnete Dichter ist immer in Gefahr, ungefährlich gemacht zu werden. Daß der Dichter ein Grenzgänger ist, Kompetenzschranken nicht einhält, anderen dreinredet – das macht seine Wirkungsmöglichkeit aus, darum müssen wir ihn fürchten.

Hat man nicht gemerkt, wie bedürftig, demütig, hilflos sich die Verwalter der politischen, technischen, wirtschaftlichen, wissenschaftlichen Apparate stellen, wenn es um Visionen geht, die sie vermutlich »konstruktive Modelle« oder »positive Utopien« nennen? Es wird verdächtig viel von der Notwendigkeit von Alternativen und der sie hervorbringenden »Kreativität« geredet – um so den Dichtern zu schmeicheln und sie rasch auf das Feld der Phantasien zu locken. Ich will nicht sagen, daß Phantasien nichts bewirken, und schon gar nicht, daß unsere verwaltete und industrialisierte Welt ihrer nicht bedürfe, daß sie nicht borniert, festgelegt, inmitten ständiger Veränderung immobil, subjekt- und willenlos geworden sei. Aber erstens könnte das *Ausdenken* einer besseren Welt (beispielsweise einer friedlichen, die zugleich frei ist und Freude macht) weniger die Stärke der Dichter sein als die *Analyse* dessen, was ist (beispielsweise der »Figuren, die unser Hirn – noch immer – bevölkern«; *ChM* II, 148*), viel-

* Ich zitiere nach der 1976 bei Suhrkamp erschienenen Gesamtausgabe: *Gesammelte Werke in zeitlicher Folge*. Die Romane und Stücke bezeichne

leicht gehört dazu sehr viel mehr von ihrer Kunst, als wir und sie selber ahnen; zweitens könnte gerade in unserer zuwachsenden Welt das Gegenteil von ihnen gefordert sein, weil es die Politiker nicht können: Anleitung zum liebevollen, pfleglichen Umgang mit dem, was wir nicht ausgedacht haben und nicht machen können, eine Anleitung zur Bescheidung, zur Anerkennung von Grenzen. »Alles, was wir fortan entdecken, es macht die Welt nicht größer, sondern kleiner«, das sagt der verkannte Don Juan in der *Chinesischen Mauer,* und der, zu dem er das sagt, der enttäuschte Columbus, antwortet: »Auch Euch, mein junger Mann, verbleiben noch immer die Kontinente der eigenen Seele, das Abenteuer der Wahrhaftigkeit. Nie sah ich andere Räume der Hoffnung.« (*ChM* II, 184) Beschränkung ohne Resignation – das muß nicht Max Frischs Botschaft sein. Aber was macht das: sie ist bei ihm zu finden!

ich mit Abkürzungen: *G = Mein Name sei Gantenbein, NSSW = Nun singen sie wieder, ChM = Chinesische Mauer, A = Andorra, B = Biografie* und füge die Bandzahl in römischen Ziffern mit Seitenzahl hinzu. Allein die beiden *Tagebücher* (*T* I und *T* II) zitiere ich nach ihren Erstausgaben von 1950 und 1972; Zitate aus anderen Schriften sind nur durch Band- und Seitenzahlen bezeichnet.

»L'imagination au pouvoir« haben jedenfalls weder Dichter noch Politiker an die Wände der Sorbonne geschrieben, sondern Menschen, die es leid waren, ewig mit den sogenannten Sachzwängen und den falschen, darauf antwortenden Versprechungen abgefertigt zu werden. Der Administration ist nicht vorzuwerfen, daß sie zu pragmatisch sei, sondern daß sie die *pragmata*, die ihr anvertrauten Dinge, zu sehr für *poiemata*, für Machbares hält. Sie hängt einer besonderen Form von Illusion nach: sie hält die Hegelsche *Idee* für Wirklichkeit, daß das Gewordene, das ein Gemachtes ist, auch das Notwendige sei. »Hier gibt es nur Lösungen; was einmal ausgeführt wird, ist die Lösung«, so heißt es in Max Frischs zweitem *Tagebuch* (*T* II, 157) über einen sozialistischen Staat, in dem doch nur übertrieben und damit verdeutlicht wird, was in der verwalteten Welt überall gilt.

Noch einmal: Poeten sind doch Phantasten, also das Gegenteil von Bürokraten und Technokraten – und darum, heißt es, brauchen wir sie. Die einen sagen: Um uns vorzuhalten, wie die Welt sein könnte, damit wir dieser Vision nachgehen; die anderen sagen: Um uns zu trösten, daß sie nicht anders ist.

Nach meinem Urteil ist beides zu wenig, beides einseitig – so einseitig, wie wenn die Poeten nur Stimmungs- und Mutmacher sind; so ungenügend, wie wenn sie der Realität in die Poren dringen oder sie ausdeuten, also tun, was Wissenschaftler und Philosophen vor ihnen und für sie getan haben.

Aber was dann?

Ich hätte es schwer, darauf zu antworten, wenn ich Max Frischs Werk nicht kennte. Er ist nicht der einzige Schriftsteller, von dem ich mir vorstellen kann, daß er diesen Preis verdient; aber er ist der, an dem ich verstehe, was vorzüglich Schriftsteller und Dichter dazu leisten können, daß »der Friedensgedanke Wirklichkeit« wird.

Ich formuliere hierzu eine siebenteilige These, um sie dann zu belegen:

1. Wie andere Dichter auch, hilft Max Frisch dem Gedanken, der der Friede einstweilen ist, wirklicher zu werden, indem er ihn wahrer und uns, die wir ihn denken, wahrhaftiger macht.

2. »Wahrer« heißt: konkret erfahrbar, was uns unfriedlich sein läßt, was Unfrieden und Frieden bedingt, was der Friede uns kosten würde, wie wir uns um ihn betrügen und warum.

3. Er ermöglicht damit vielleicht und allmählich, daß wir den schwierigen Frieden doch wollen, auch wenn er zunächst auf unsere Kosten geht.

4. Er macht auf die Hindernisse aufmerksam. Wie wir wissen, liegen die Hindernisse auf dem Weg zur Möglichkeit des Friedens in den verschiedensten und machtvollsten Tatsachen: in falschen Wirtschaftssystemen, falschen Herrschafts- und Entscheidungsstrukturen, falschen Vorstellungen und Einstellungen, falschen Verbindungen z. B. von Eigentum und Macht und so fort.

5. In dieser Aufstellung kehrt ständig das Wort »falsch« wieder. Es gibt vor, daß wir wüßten, was richtig ist. Die Zerstörung dieser – wieder kommt das tückische Wort – falschen Gewißheit ist die fundamentale Hilfe, die der Dichter Max Frisch gibt.

6. Max Frisch – ich widerstehe der Versuchung zu sagen: erzieht uns, nein – hilft uns, es mit einer raffinierten und hartnäckigen Form der Selbsttäuschung aufzunehmen, die uns ständig mit Beschwichtigung oder Gewalt vorlieb nehmen läßt, statt die harte Arbeit, den Verzicht, die Unscheinbarkeit, den mühseligen Ausgleich auf uns zu nehmen, aus denen das Friedenmachen auch besteht.

7. Max Frisch hat hierzu – wie kein anderer Dichter – Methoden erfunden: Methoden zum Herstellen von Wahrhaftigkeit. Diese können vielem dienen: der Gerechtigkeit, der Freiheit, der Freundschaft, dem Glück – und dem Frieden.

Daß Dichter es in einer besonderen Weise mit der Wahrheit zu tun haben, jedenfalls, daß die Wahrheit ohne die Dichtung, nämlich ohne Spiegelung oder Alternative oder Variation oder Gegenbild, nicht die volle Wahrheit ist, weiß man, muß hier nicht an Max Frisch nachgewiesen werden, wohl aber, wie Wahrheit mit Frieden zusammenhängt.

Wir kennen die anderen Verse dieses

langen Liedes:
Freiheit und Friede,
Gerechtigkeit und Friede,
Friedfertigkeit und Friede,
Macht und Friede,
Reichtum und Friede,
Klassengesellschaft und Friede,
die Natur, der Trieb, das sogenannte Böse
und Friede.

Die Wahrheit hat man – nicht nur aus Vergeßlichkeit oder Willkür – ausgelassen. Die Wahrheit erkennen und sagen, steht in einem prekären Verhältnis zur Vermeidung von Gewalt, Krieg, Streit, Revolution. Es gibt Übel, die man – wenn man sie einmal erkannt hat – bekämpfen muß. Wer gleichwohl die Ruhe vorzieht, mit dem werden andere streiten oder ihn übergehen, wogegen er dann vermutlich Widerstand leisten wird. Es kommt also, wo die Wahrheit über ein wirkliches Übel erkannt wird, allemal eher zu einer tätlichen Auseinandersetzung; es kommt gerade nicht zu Beruhigung und Frieden.

Mein Standardbeispiel hierfür ist Hitler. Die Großmächte hätten mit dem Zweiten

Weltkrieg nicht gewartet, bis Hitler ihn 1939 begann, sie hätten 1933 sofort eingegriffen – wenn sie die volle Wahrheit über den Mann und seine Partei und die Deutschen gewußt hätten. Und mit der »vollen Wahrheit« meine ich nicht die auch mögliche Entlarvung eines Satans und eines ihn tragenden schlimmen Kollektivcharakters der Deutschen, sondern all das, was wir seither mit verstehender Wissenschaftlichkeit wissen: die Deformation einer Volksseele durch Versailles, die Ausbeutung von Schuldgefühl und Idealismus, die verspätete soziale und politische Revolution inmitten anachronistischer Konsolidierung des Nationalstaates, die »Banalität des Bösen« und die Bedingungen der »authoritarian personality« . . . Die »volle Wahrheit« sieht man immer erst, wenn die volle Wirklichkeit daraus geworden ist.

Man mag sagen: Es stand schon alles in *Mein Kampf,* und wer die Wahrheit sehen wollte, konnte sie sehen. Aber das ist gerade das Dilemma: Man kann nicht jede Wahrheit in ihrer schrecklichsten Möglichkeit wissen wollen, weil man dann vermutlich nicht leben könnte. Wer die »volle Wahrheit« über den anderen weiß, ist verführt, ihren möglichen Folgen schnell und gründlich vorzubeugen: Man wird versuchen, *ihn* daran zu hindern, wenn nötig mit Gewalt. Daß man selber das Gute will, dessen ist man eigentümlich gewiß. Wenn wir allen Irrsinn ernst nähmen, der gesagt wird: Die Hälfte der Menschen säße hinter dem einen oder dem anderen Gitter. – Vielleicht würden die Menschen dann vorsichtiger reden. Gut! Nur: Genauso haben stets die Diktatoren argumentiert.

Wie es nicht diese »volle Wahrheit« sein kann, die uns zum Friedenmachen oder Gewaltvermeiden hilft, so auch nicht die bloße Wahrhaftigkeit, das moralische Ehrlichseinwollen gegenüber sich selbst. Die Wahrheit, die auf uns lauert, oder die noch nicht weiß, wo sie hin will; das Ich, das sich selbst nicht kennt, und das die anderen nicht kennen kann, weil es sie so versteht, wie es sich versteht; das Ich, das sich selbst nicht erkennen will, weil diese Erkenntnis unangenehm ist, Folgen haben sollte; Menschen, die die Bedingungen, unter denen sie erkennen und handeln, nicht kennen, die nicht wissen, welche sie selbst gemacht haben und welchen sie ausgeliefert sind – das alles fordert mehr als Wahrhaftigkeit, so wie ja auch der Friede mehr fordert als Friedfertigkeit; beide fordern eine bisher unbekannte oder leider verlorengegangene Kunst.

Und dies ist der Schnittpunkt von Friede und Wahrheit: Der Friede – die friedliche und ehrenhafte Lösung eines Konflikts – ist eine so schwierige Sache, daß wir ständig nach Ausflüchten suchen. Wir halten nicht stand – der Fülle kleiner Mühsal und kränkender Einsicht in unsere Schwäche. Darum inszenieren wir einen Fall für große Bravour, und die anderen, einschließlich unseres Gegners, fallen willig ein in die schöne Gelegenheit, etwas Kompliziertes zu vereinfachen, eine alte Rechnung zu begleichen, ein abgeschabtes Selbstbewußtsein aufzubessern, eine Unentschiedenheit loszuwerden, einen leidigen Mahner zu übertreffen und ins Unrecht zu setzen.

Nicht weniger verlockend ist die Beschwichtigung, der beflissene Friede mit dem Unrecht.

Der »vollen Wahrheit«, die man (ich weiß
es nicht) vielleicht studiert, erforscht, be-
weist, der Wahrhaftigkeit, zu der man sich
und andere aufruft, setzt Max Frisch etwas
entgegen, was ich Methoden genannt habe,
eine Technik zur ständigen Herstellung von
möglicher Wahrheit, zur ständigen Störung
unseres Vertuschens, Verstellens, Verdäch-
tigens, Verfestigens, Verdammens, Ver-
schweigens . . . Sagen wir, in Anlehnung an
einen Terminus von Sigmund Freud: Max
Frisch verordnet uns *Wahrheitsarbeit*.
Er selbst wird das nicht gern hören; er
wird den Kopf schütteln über das Bildnis,
das ich (mir) hier von ihm mache. Er selbst
hat ein anderes von sich. Was er schreibt, ist
ihm dann am liebsten, wenn es am planlose-
sten geschieht, und nichts will er weniger als
belehren. Aber mein und sein Bildnis müssen einander nicht ausschließen. Er erfindet
die Methoden für sich, er benutzt sie, wie er
schreibt, »um die eigene Bedrängnis loszuwerden« (*T* I, 144 über *Nun singen sie
wieder*), um den eigenen Versuchungen zu
begegnen, um die Erkenntnisse auszuhalten. Weil er sie gar nicht lassen kann, hat er

nicht das Bewußtsein von »Methoden«. Dieses Exerzitium, dem er sich unterwirft, oder dieses Spiel, das er spielt, belehrt vermutlich um so mehr, als es den Leser oder Zuschauer gar nicht meint.

Ich will im folgenden erstens (1) diese Mittel oder Methoden aufzählen und kurz beschreiben; ich will dann zweitens (2) die wichtigsten Thesen und Hypothesen nennen, die Max Frisch mit diesen Mitteln verfolgt oder die ihn verfolgen; drittens (3) gebe ich einen Überblick über die politischen Anlässe, die politischen Problembereiche, auf die Max Frisch damit reagiert; viertens (4) werde ich Sätze aus seinem Werk zitieren – Wahrheiten, wenn Sie so wollen, die er dabei herausgefunden hat und die ihn erneut herausfordern, sie und sich auf die Probe zu stellen; und am Schluß (5) sei an einem Beispiel vorgeführt, wie das vor sich geht.

1. Die Mittel oder Methoden der Wahrheitsarbeit

Sein wichtigstes, wirksamstes und poetischstes Mittel ist das *Stellen-wir-uns-vor-Spiel,* das er in zahlreichen, man möchte meinen:

systematischen Variationen spielt – gespielt hat, lange bevor es im *Gantenbein* gleichsam auf seinen eigenen Begriff gekommen ist:

in *Nun singen sie wieder:* Stellen wir uns vor, die Menschen, die einander im Leben bekämpfen und umbringen, kämen nach ihrem Tode zusammen und könnten sich miteinander unterhalten, einander die Wahrheit über sich sagen;

in *Die Chinesische Mauer:* Stellen wir uns vor, wir seien in China vor fünfhundert oder tausend Jahren, wir »Heutigen« mit unserem Wissen von der Geschichte und der Wasserstoffbombe, und die »Figuren, die unser Hirn bevölkern«, stünden uns Rede und Antwort;

in *Biedermann und die Brandstifter:* Stellen wir uns die Politik einmal wie einen Haushalt vor; oder

in *Andorra* unseren Staat als ein Dorf;

in *Mein Name sei Gantenbein:* »Ich stelle mir vor«, ich werde für blind gehalten und könnte doch sehen, muß mich aber benehmen, als sähe ich nicht;

in *Biografie:* Stellen wir uns vor, wir

könnten unser Leben neu leben, indem wir anders entscheiden . . .

Und sie alle entlarven uns in einem biedermännischen Bemühen, Gefahren zu verniedlichen, damit wir nicht auf sie reagieren müssen, oder Ungeheuer hervorzubringen, damit wir sie kühn erlegen können.

Mühelos läßt sich eine ähnliche Figur in jedem erzählenden oder dramatischen Werk von Max Frisch nachweisen. Er ist besessen von der Möglichkeit, es lasse sich die Realität durch Variation unserer Vorstellung besser erkennen; oder genauer: er ist besessen von der Furcht, die Wirklichkeit – die durch das tempus perfecti behauptete Wirklichkeit – sei ihrerseits nur eine Vor-Stellung, ein Vor-Wand, ein Aspekt, ein *theama* oder Schaustück, und erst die Hinzunahme der nichtverwirklichten, der ausgeschlossenen Möglichkeiten mache die Realität daraus; diese, sagt er, erscheine nie auf der Bühne. »Insofern bleibt das Stück immer Probe!« (V 579) Man ist verführt zu denken: nicht nur das Stück *Biografie* – von dem hier die Rede ist –, sondern unser Leben überhaupt.

Wie ernst ihm das Spiel ist, mag man den

Spielregeln entnehmen. »Was Sie wählen können, ist Ihr eigenes Verhalten« (*B* V, 490) – also nicht das der anderen und auch nicht die eigenen Eigenschaften. Die Intelligenz beispielsweise ist gegeben. Man kann sie anders einsetzen, schulen oder verkommen lassen – »in einem Glaubensbekenntnis oder im Alkohol« (*B* V, 503). Aber ihre Reichweite muß man hinnehmen. Was meine Intelligenz sein kann, in anderen Worten, wird durch meine Intelligenz bestimmt und nicht durch meine Wünsche. Das gilt für mein Aussehen, meine Gefühle, meine Spontaneität – für fast alles, außer meinen Willen. Das Spiel definiert wie kein anderes Mittel die Moral. Und so gibt es auch in ihm ständig Einwände gegen das Spiel: »Wie soll man das wiederholen [eine Szene, die zum Anlaufen einer anderen, in der anders entschieden werden soll, gebraucht wird], wenn die Geheimnisse verbraucht sind? – wenn das Ungewisse verbraucht ist, der Sog der Erwartung von Augenblick zu Augenblick ...« (*B* V, 541). Oder: Die erste Ehe von Herrn Kürmann hat mit dem Selbstmord seiner Frau geendet. Daß es die falsche Ehe war, wußte er schon, wußte er mit Intensität, als er zum Altar schritt. Er hat jetzt die Möglichkeit, das zu ändern. »Möchten Sie hier nicht eine andere Wahl treffen?« (B V, 509) fragt der Registrator. Damals hatte Herr Kürmann nicht gegen die Peinlichkeit eines Widerrufs anzugehen vermocht. Und jetzt? Jetzt fällt ihm nicht nur die erhängte Frau ein (das könnte ihm helfen, sich umzuentscheiden), jetzt fällt ihm auch sein Kind ein: »Man kann ein Kind, das einmal da ist, nicht einfach aus der Welt denken.« (B V, 512) Und so schließt er die Ehe erneut.

Man sieht, es ist ein fürchterliches Spiel. Aber wenn wir es öfter spielten – auch in der Politik –, wir wären weniger dreist in der Behauptung der Wahrheit und in ihrem Vollzug, es gäbe nicht nur Herrn Kürmann ohne die falsche Frau, die »Biografie ohne Antoinette« (B V, 523), sondern vielleicht auch Deutschland ohne diesen, Amerika ohne jenen Krieg.

Wie das in einem Stück geht, kann man sich denken. Wie sieht das gleiche in einem Roman aus? Die erste, nein die zweite Szene

im *Gantenbein* ist mir besonders eindrück-
lich in der Erinnerung geblieben, weil das
Prinzip »Ich stelle mir vor« noch neu, in
seiner Funktion noch nicht durchschaut
war. So direkt hatte Max Frisch es noch nie
angewendet.

Es liegt einer (»ich«) in der Klinik. Er
erwacht mitten in der Nacht aus schwerem
Traum, klingelt und verlangt nach einem
Bad. Ohne Zustimmung des Arztes gehe
das nicht, sagt die Nachtschwester. Sie
bringt einen Saft, und er solle weiter-
schlafen.

Da stellt er sich vor: Er nehme sich das
Bad. Die Schwester kommt hinzu. Er ist
nackt. Er bedeckt sich mit einem Scherz: Er
sei Adam. Und weil sie nicht lacht: Sie sei
Eva. Im Hintergrund erscheint der Nacht-
arzt. Die Szene ist zweideutig, sie verlangt
nach Auflösung. (Graf Öderland hat für
solche Fälle eine Axt, aber »ich« ist nackt.)
Er stellt sich vor: Er gehe auf den Arzt zu
und sage: »Sie sind der Teufel.« Jener
weicht zurück und fordert ihn auf, in sein
Zimmer zurückzukehren. Er denkt nicht
daran – er wendet sich zum Lift, fährt ab,

verläßt das Krankenhaus und geht splitter-
nackt durch die erwachende Großstadt. Alles weicht – wie der Arzt – zurück. Ein
Bäckerjunge stürzt mit seinem Rad. »Ich«
gerät ins Laufen. Der Lauf endet, von zwei
Polizisten auf Motorrädern begleitet, im
Opernhaus, wo er auf der leeren Bühne sitzt
vor leerem Zuschauerraum. Er bekommt
einen Kostümmantel übergeworfen – einen
Königsmantel. Die nächste Station ist ein
Psychiater.

»Es ist wie ein Sturz durch den Spiegel,
mehr weiß einer nicht, wenn er wieder erwacht, ein Sturz wie durch alle Spiegel, und
nachher, kurz darauf, setzt sich die Welt
wieder zusammen, als wäre nichts geschehen. Es ist auch nichts geschehen.« (*G* V,
18)

Radikaler kann man dieses Spiel nicht
spielen: Die Hüllen des Lebens ganz abwer-
fen, nur die nackte Person mitnehmen, mit
irgendeinem Kostümmantel vorliebneh-
men, in eine andere Rolle eingehen, aber
derselbe bleiben – wie der Staatsanwalt/
Graf Öderland ja auch nie ein anderer geworden ist, sondern nur eine verschüttete

andere, intensivere Möglichkeit seiner selbst.

Kann so etwas überhaupt weitergehen? Aus Laune wird Versuch, aus Versuch Methode. Rückkehr in die leere, vor Wochen noch bewohnte Wohnung. Es ist wie in Pompeji: Man kann hindurchschlendern und sich vorstellen, wie hier einmal gelebt worden ist. Einmal klingelt es. »Ich« mache nicht auf. Der Herr meines Namens ist verreist.

»Ich stelle mir vor: ein Mann hat einen Unfall. Er liegt im Hospital mit verbundenen Augen ... Er kann hören, riechen, denken. Und er denkt: Eines Morgens wird der Verband gelöst, und er sieht, daß er sieht, aber er schweigt; er sagt nicht, daß er sieht, niemand und nie. Ich stelle mir vor: Sein Leben fortan, indem er den Blinden spielt, auch unter vier Augen, sein Umgang mit Menschen, die nicht wissen, daß er sie sieht – seine gesellschaftlichen Möglichkeiten, seine beruflichen Möglichkeiten dadurch, daß er nie sagt, was er sieht, ein Leben als Spiel, seine Freiheit kraft eines Geheimnisses usw. – Sein Name sei Gantenbein . . .« (*G* V, 21) Er ist ein umgekehrter Gyges, den schon Platon benutzte, um die Reichweite der Moral zu erproben. Was täten Menschen alles, wenn man sie nicht sähe!

»›Jeder Mensch erfindet sich früher oder später eine Geschichte, die er für sein Leben hält . . . oder eine ganze Reihe von Geschichten . . .‹« (*G* V, 49)

Das kann uns festlegen wie den Mann, der sich für einen Pechvogel hält und, als er das große Los gewinnt, lieber die Brieftasche verliert: Der Verlust seines ein-gebildeten Ichs wäre zu kostspielig (*G*V, 51).

Das kann uns schrecklichen Möglichkeiten ausliefern: Sich vorstellen, man hätte dem Mann, dem man auf dem Pez Kisch in aller Einsamkeit begegnet ist, über die Wächte in den Abgrund gestürzt. »Ich wußte, ich habe es nicht getan. Aber warum eigentlich nicht?« (*G* V, 56)

»Warum eigentlich nicht?« – diese Frage ist der Schatten, den wir nicht mehr loswerden, wenn wir einmal begonnen haben, uns vorzustellen. Und, da wir diese Frage nicht loswerden und sie also auch *vor* unseren

Handlungen da ist, besorgt sie eine wahrhaft unheimliche Freiheit. Wir müssen Ernst machen mit dem Ich oder der Vernunft oder der Moral, sonst verlieren wir uns. Frisch hat uns mit diesem Spiel tief in die »Wahrheitsarbeit« gestürzt.

Ein anderes Mittel ist das *Tagebuch*. Max Frischs Tagebücher sind nicht Chroniken, nicht veröffentlichte Zettelkästen, nicht Confessions – Beichte, Selbstbestätigung und Selbstgericht. Ich meine fast, sie sind seine am wenigsten privaten Bücher, und jedenfalls sind sie in hohem Maße Produkte von Kunst, von bewußter Verarbeitung der Erlebnis- und Gedankenstoffe. Das Methodische an den Tagebüchern – im beschränkten Sinn meiner These – ist die Unerbittlichkeit, mit der die einzelnen Wahrnehmungen und Reflexionen miteinander konfrontiert und verbunden werden. In den Tagebüchern rekonstruiert er die Fallen, die der private wie der politische wie der poetische Alltag stellt: Er will keiner aus barem Zufall entgangen sein. Die Fallen sind meistens nichts als Fälle: Wenn man sie in eine bestimmte Konstellation bringt, ist man gefangen, Und wer bringt sie in diese Konstellation? Vermutlich Max Frisch; aber indem sie so aussehen, als seien sie von allein zueinander geraten, überkommt uns der Verdacht, die Wirklichkeit sei so; die Wahrheit lauere in den Ereignissen, wenn wir nur genau hinsähen. Und am Ende sind wir es selber, die die Fallen-Konstellation herstellen.

Hier eine typische Abfolge von Tagebuchbrocken:

– Ein Text für einen Brunnen:
»hier ruht kein kalter krieger. dieser stein, der stumm ist, wurde errichtet zur zeit des krieges in VIETNAM 1967«;

– eine Aufzeichnung über eine Reise nach Prag: Gespräch mit einem namhaften, aber in Ungnade gefallenen Mann in einem Hotel, in dem Mikrophone angebracht sind, ein Gespräch, in dem »kein subversives Wort [fällt], der Staat ist einfach nicht da [. . .] Es geht um Poesie. Poesie als Résistance?« (*T* II, 71), und ein Gespräch mit dem in Ehren stehenden Ilja Ehrenburg, ein Gespräch, in dem alles folgenlos gesagt werden kann und sich

der Verdacht mehrt, dies sei nichts als
»taktische Schein-Offenheit. [. . .] Vor-
sicht, die hier [. . .] jedermann gelernt hat
wie Orthographie« (*T* II, 73 f.);
– ein »Verhör«: A fragt B: »Wie stehst du
  zur Gewalt als Mittel im politischen
  Kampf?« – anhand eines Textes von Tol-
  stoi –, und B antwortet in immer neuen
  Wendungen und Windungen, er sei Demokrat, für den Rechtsstaat und habe
  Angst vor der Gewalt: »daher liebe ich
  die These, die Vernunft könne verändern.« (*T* II, 84) Er meidet am Ende den
  ihm nahegelegten Satz, der Staat gebrau-
  che nur Gegengewalt;
– ein Stück Tagesrealität Ende April: Militärputsch zur Verhinderung demokrati-
  scher Wahlen in Griechenland. Spiegelung der Ereignisse in der Presse. »Fotos:
  Griechisches Volk ohnmächtig vor NA-
  TO-Tank unter griechischer Flagge.«
  (*T* II, 86)
– Reflexionen zu einem Stück: gegen eine
  »Dramaturgie der Fügung, [. . .] der Peri-
  petie. Im Grunde erwartet man immer, es
  komme einmal eine klassische Situation,

wo eine Entscheidung schlichterdings in Schicksal mündet. [. . .] Tatsächlich sehen wir, wo immer sich Leben abspielt, etwas viel Aufregenderes: es summiert sich aus Handlungen, die zufällig bleiben. [. . .] Jeder Versuch, den Ablauf [einer Geschichte] als den einzigmöglichen darzustellen und sie von daher glaubhaft zu machen, ist belletristisch.« (*T* II, 87 f., woraus in *Biografie*, dem Stück, das er gleichzeitig schreibt, wird: »Ob eine bessere oder schlechtere Biographie, darum geht es nicht. Ich weigere mich nur, daß wir allem, was einmal geschehen ist – weil es geschehen ist, weil es Geschichte geworden ist und somit unwiderruflich – einen Sinn unterstellen, der ihm nicht zukommt.« *B* V, 522);

– und immer wieder »Reminiszenzen« an die schlimme, die Maßstab setzende Zeit, etwa: Wie ihm auf einer Schweizer Behörde (!) 1936 (!) unverlangt ein Ariernachweis erteilt worden ist (*T* II, 173).

Max Frisch erlaubt sich nicht, das mag aus diesem Beispiel einer Abfolge hervorgehen, einfach eine Gebärde der politischen Ästhetik zu tun (Brunneninschrift), er geht selber ins andere Lager, versucht, »kein kalter Krieger« zu sein, und registriert, wenn er diesen Vorsatz verletzt oder im Gespräch nur noch nickt, weil die andern leider kalte Krieger geblieben sind; er mißt die Erfahrung an allgemeinen Überzeugungen, badet diese im Drachenblut der politischen Theorie, stößt mit dem Speer der Tagespolitik (Statistik, Nachricht, Zeitungsverschnitt) auf die nicht gehürnte Stelle und zieht Folgerungen – selbst für die Formen seiner Kunst.

Ein weiteres Mittel der Wahrheitsarbeit ist eben schon genannt worden:

Das Verhör. Es ist so angelegt, daß einer die wohnliche Gedankeneinrichtung des anderen in Unordnung bringt. A fragt sich auf den Boden der Rationalisierungen von B durch. Er tut es anhand eines Textes, der radikal ist und dadurch zu ungeschützten Bekenntnissen verführt. B hat sich Stellen angestrichen, als er sich mit dem Text allein wähnte. Nun fragt A, warum? Und fragt nicht von rechts oder von links, sondern von überall. B ist, wie gesagt, für den

Rechtsstaat. A setzt nach: »Was verstehst du darunter?« B: »Daß niemand der Willkür und Gewalt des jeweils Stärkeren ausgesetzt ist, Recht für alle, eine Ordnung, die garantiert, daß gesellschaftliche Konflikte ausgetragen werden.« A geht zurück: Wie ist es dann mit »Repressalien«, von denen B gesprochen hat? B muß zugeben: »Es gibt natürlich Gewalt ohne Gewalttätigkeit, ein Zustand, der dem Rechtsstaat sehr ähnlich sehen kann. Gewissermaßen ein friedlicher Zustand: indem [. . .] um der Gewaltlosigkeit willen Konflikte geleugnet [. . .] werden. [Aber] das garantiert der Rechtsstaat: Schutz vor Gewalttätigkeit . . .« A stellt fest, daß B sich wiederhole; er fragt hartnäckig nach der »Repressalie«. B: »Die betrifft nicht das Gesetz, sondern lediglich die Betroffenen; also nicht den Rechtsstaat als solchen. Hingegen die Gewalttätigkeit verstößt gegen das Gesetz . . .« (*T* II, 77)

Das Verhör setzt sich alle 50 Seiten fort. Das Verhör hat nur uns selbst zum Zuhörer. Es mobilisiert unsere ganze Gescheitheit zugunsten der gewohnten oder bequemeren Überzeugung, und wir haben dann die Bescherung vor uns – die oben zitierte Rabulistik. In diesem Verhör haben wir keinen Gegner, außer unserer Inkonsequenz. Wir geraten in die Zwickmühle, die wir uns selber bereiten – durch allzu große Sicherheit, allzu großes Geschick, allzu viel Freude am Rechthaben.

In einem anderen Verhör mit einem B, der wieder den Rechtsstaat verteidigt, zugleich aber froh ist, daß dieser vor der Erpressung durch die Luftpiraten kapituliert hat, um Menschenleben zu retten, fragt A mit abschließender Entschiedenheit: »Bejahst du die Gewalt: Ja oder Nein?«

B: »Es gibt eine Recht-erhaltende Gewalt, ohne die auch der Rechtsstaat nicht auskommt, und es gibt eine Recht-schaffende Gewalt; die letztere antwortet auf die erstere, aber die erstere ist immer hervorgegangen aus der letzteren.«

A: »Bejahst du die Pistole im Cockpit?«

B: »Es steht mir nicht zu, die Pistole im Cockpit zu verurteilen, weil ich ohne sie auskomme. Was ich zum Leben brauche, habe ich ohne Gewalt, das heißt, ich habe es durch die Recht-erhaltende Gewalt. Andere sind in einer anderen Lage; meine Recht-Gläubigkeit ernährt sie nicht, kleidet sie nicht, behaust sie nicht, versetzt sie nicht in den Luxus, auszukommen ohne Gewalt.«

A: »Du hast gestanden, daß Akte der Gewalt dich entsetzen. Du bist aber noch immer nicht bereit, die Anwendung von Gewalt grundsätzlich zu verurteilen.«

B: »Es steht mir nicht zu.«

Wir hören in unseren Tagen viel von Dialektik – hier ist sie. Dialektik heißt organisierter, planmäßiger Widerspruch. Meist bekommen wir Dogmatik im Zick-Zack dafür. Mit der Dogmatik kann man besser einschlafen. Aber politischen Frieden wird man nur haben, wenn man gelernt hat, es im Widerspruch auszuhalten. Darum stehen *wir* im Verhör, bringt Max Frisch es dahin, daß wir uns mit B identifizieren, auch wo wir nicht seiner Meinung sind. Was B sagt, sagt er überlegt und überlegen – und sogar ehrlich. Auch Spitzfindigkeit kann ehrlich sein, wenn das Problem so vertrackt ist. Aber wehe es fehlt uns dann ein so unbestechlicher und harter Frager wie A!

Stellen Sie sich vor, ich hätte mein vorbereitetes Manuskript beiseite gelegt, als ich hier auf das Podium stieg, und Max Frisch heraufgebeten, um mich so ins Verhör zu nehmen. Thema etwa: Welche und wieviel Ungerechtigkeit bist du bereit, für den Frieden, die Vermeidung von Gewalt auf dich zu nehmen?

Das wäre eine Demonstration der Unerbittlichkeit wie der Nachsicht, also der Aufrichtigkeit und der Klugheit geworden, die das Friedenmachen von uns fordert – eine Demonstration der Notwendigkeit und Preiswürdigkeit von Max Frischs Verfahren.

So aber huldige ich ihm mit dem, was er als unsere – nicht »Heuchelei« (das würden primitivere Kritiker sagen), sondern unsere – Verstrickung in unsere Vorstellungen nennen würde: in die Vorstellungen davon, wie die Dinge zu sein haben (z. B. solche Feiern). Es könnte auch die Angst sein vor der rätselhaften (das ist Max Frischs Wort), der schmuddeligen (das ist mein Wort) Wirklichkeit.

Um die Dialektik voll zu machen, folgen einem solchen Verhör in jenem Tagebuch-

Jahr 1967 auch noch die Ermordung von Martin Luther King oder der Aufstand der Studenten in Paris, oder die Todesopfer an der Kent State University/Ohio – junge Leute, die demonstrierten, weil Amerika in ein neutrales Land eingefallen war. Ich weiß nicht, wie die Leute darauf kommen, daß Max Frisch auch nur »scheinbar immer von sich« spreche.

Ein ähnliches und zugleich ganz anderes Mittel ist der *Fragebogen*. Auch er kehrt etwa alle 40 Seiten wieder. Die Pointe der Frischschen Fragebögen ist, daß man sie ausschließlich für sich selbst beantwortet. Niemand außer mir will das wissen, niemand wird es auswerten. Um so deutlicher merke ich, wenn ich mich selbst betrüge. Das tue ich schon, wenn ich nicht antworte.

Frage 1: »Sind Sie sicher, daß Sie die Erhaltung des Menschengeschlechts, wenn Sie und alle Ihre Bekannten nicht mehr sind, wirklich noch interessiert?« Diese Frage ist trefflich erfunden, eines Friedenspreises würdig. Und sie steht mit vollem Recht am Anfang.

Frage 2 setzt arglistig eine positive Antwort zur Frage 1 voraus: »Warum?« (Nämlich: Sind Sie sicher, daß die Erhaltung des Menschengeschlechts Sie dann noch interessiere?) Man ist also aufgefordert, auch dann zu antworten, wenn man zunächst zynisch bekannt hat: »Nach mir die Sintflut!« So einfach ist das nicht: Die Sintflut nimmt ja nicht nur die Zukunft weg, sondern den Sinn aller Vergangenheit und Gegenwart. Kann ich das wollen, auch wenn ich ein Zyniker bin? Zur Beantwortung »genügen Stichworte«. Max Frisch macht es einem schwer: In langen Argumentationsketten würde einem – vielleicht – eine glaubhaft klingende Rechtfertigung gelingen, in Stichworten dagegen gibt man sich leicht preis.

Frage 3 macht den Sprung von der Weltgeschichte zu unserer persönlichsten Entscheidung: »Wie viele Kinder von Ihnen sind nicht zur Welt gekommen durch Ihren Willen?« Frieden und Menschengeschlecht, das sagt sich so leicht, weil wenig Anlaß vorliegt zu der Vermutung, so große Dinge hingen von mir ab. Aber sie tun es!

Frage 6: »Möchten Sie das absolute Gedächtnis?« Es wäre so unmenschlich wie das absolute Vergessen (das sich Dickens schon in einer Erzählung ausgemalt hat). Die Antwort selbst – man sieht es sofort – ist uninteressant; aber daß man sich fragt und vorstellt, was die möglichen Folgen wären, ist wichtig.

Frage 16: »Überzeugt Sie ihre Selbstkritik?«

Frage 17: »Was meinen Sie, nimmt man Ihnen übel und was nehmen Sie sich selbst übel, und wenn es nicht dieselbe Sache ist: wofür bitten Sie eher um Verzeihung?« Das sind die typischen Fragen in Max Frischs Erkundungssystem: Wie nahe stehen wir uns selbst? Wobei und wann laufen wir zu unserer Schwäche über? Was für ein Bildnis machen wir uns von uns selbst?

Frage 20: »Lieben Sie jemand?«

Frage 21: »Und woraus schließen Sie das?« Wenn uns das Selbstverständliche nicht frag-würdig wird, haben wir keine Chance, Fehler oder gar Verbrechen zu vermeiden.

Frage 22: »Gesetzt den Fall, Sie haben nie einen Menschen umgebracht: wie erklären Sie sich, daß es nie dazu gekommen ist?«

Ich kenne Menschen, denen diese Fragen von Max Frisch so unangenehm sind, daß sie das *Tagebuch* »schlecht« finden, in dem sie stehen. Ich glaube, genauso sind die Fragen gemeint: Sie sollen uns aufbringen gegen den, der fragt; aber nachdem wir die Frage gelesen haben, ist es nicht mehr Max Frisch, der sie stellt, sondern wir selbst.

Neben den Fragebögen gibt es *Protokolle*, etwa über die Besetzung des Warenhauses Globus in Zürich, und in diesen oder neben diesen die *Zusammenstellung von Presse- stimmen* (*T* II, 170 ff.), die in ihrer Summe so selbstmörderisch sind wie die *Zitate* bei- spielsweise aus einer offiziellen Broschüre zur Zivilverteidigung (*T* II, 274). Gewiß, das sind Mittel zur Entlarvung anderer. Es ist ja auch wenig wahrscheinlich, daß die Wahrheit nur der eigenen Unwahrheit ab- zuringen sei.

Wo Max Frisch sich selbst preisgibt, weiß man beklommen: mea res agitur. Z. B. auf jenen eineinhalb Seiten im zweiten *Tage- buch*, die *Ehrenwort* überschrieben sind. Einem rabiaten Nationalisten, der ihn auf der Straße mit der Frage anfällt, »Wo möchten Sie wohnen?«, um ihn nach Havanna oder Peking zu wünschen, antwortet er, er sei hier geboren. Die Umstehenden »finden die Frage berechtigt, und ich weiß natürlich, welche Antwort ich der Menge schulde. So viele sind es gar nicht, aber sie haben die Physiognomie der Mehrheit.« Was er von da an sagt, wird von Satz zu Satz unglaubwürdiger. Jede Bekräftigung (»Ich möchte nicht woanders leben, *Ehrenwort!*«) schwächt die Wahrheit, die dies ist: Sie wird ja nicht gesagt, weil sie wahr ist, sondern um den Frieden mit der Menge zu erkaufen. Wer ist sicher, daß er diesen Verrat nie begeht? Wie lebt man mit diesem Zweifel? Wie anders wird man damit fertig, als daß man sich sein Versagen vorhält, daß man weder an der Peinlichkeit erstickt noch anfängt, sich in seiner Schonungslosigkeit zu sonnen? Max Frisch ist das hier gelungen – durch das, was ihn zum Dichter erhebt: Er macht die Wahrheit aushaltbar.

Das konventionellste und zugleich anfälligste Mittel ist das der Preisgabe von *Entwürfen und Versuchen* – wenn also der Autor das Entstehen, Abbrechen, Wiederauf-

nehmen einer Idee oder einer Gestalt vor-
legt: die Wahrheit nicht im Ergebnis, sondern als Bemühung und Probe. Da gibt es
im ersten *Tagebuch* ein in seiner Unfertigkeit überwältigend vollendetes Werkstück –
einen Brief an einen jungen Deutschen, der
ihm anklagend geschrieben hat; es sind drei
Anläufe, jeder anders, jeder anders ge-
stimmt, jeder auf den anderen angewiesen,
und am Ende wird keiner abgeschickt. Ich
habe mir, als ich dies etwa 1958 als Lehrer
an einem süddeutschen Gymnasium las, auf
der letzten unbedruckten Seite des Buches
notiert: »Ein Buch machen, das den Leser in
verschiedene Situationen stellt, und jede Situation wird mehrfach – aus verschiedenen
Gesichtswinkeln – geschildert: der Mensch
unter Anklage, in der Rechtfertigung, in
Abhängigkeit, Empörung, Einsamkeit,
Partnerschaft, Feindschaft, Reichtum, Ar-
mut, Muße, Arbeit, Verantwortung.« Das
Buch liegt, zu einem halben Zentner Papier
angewachsen, in meinem Schrank. Es wäre
– wenn es fertig geworden wäre – ein vor-
zügliches Mittel der politischen Bildung.
Zugleich kann es nicht fertig werden: Die

Unfertigkeit ist sein Prinzip, das es von Max Frischs *Tagebuch* übernommen hat.

Von ganz anderer Art ist das Mittel, das ich einmal die literarische *Standfoto-Serie* nennen möchte: Max Frisch erfindet einen Mann namens Kabusch. Er zeigt uns nicht ein Foto von ihm und sagt, das ist er. Er dreht auch nicht einen Film. Er zeigt uns vielmehr 30 bis 40 Aufnahmen von Herrn Kabusch in allen möglichen Lebenslagen und läßt uns ihren Zusammenhang erfinden – gleichsam die erklärende Biographie. Gegen die Standbilder 1 und 7 und 19 haben wir ein deutliches Vorurteil; 12 und 14 würden uns ratlos lassen; 3, 4 und 5 und 26 und 36 lassen uns verstehen, und 9 und 29 wenden die Anklage auf uns oder andere um.

Natürlich ist das *Tagebuch* auch einfach Tagebuch: *Bericht* davon, wie Max Frisch den Tag, die Ereignisse, die Welt erlebt. Ich hüte mich, dies hier zu schildern und flink in mein Schema von der Wahrheitsarbeit einzuordnen. Max Frisch ist Max Frisch. Reisen, wie er sie macht, können nicht viele machen, und täten sie es, sie kämen als Meyer oder Müller, nicht als Max Frisch an.

Nicht jeder speist mit dem Berater des Präsidenten der USA, nicht jeder wurde 1948 zum Congrès Mondial des Intellectuels pour la Paix in Breslau eingeladen – und nicht jeder, der eingeladen war, fuhr hin.

Aber nehmen wir diese beiden Anlässe: Ins Weiße Haus kann in der Tat jeder, wenn er sich zur Besucherzeit einstellt. Aber wie viele werden sehen, wie hier »die Macht haust« und wie viele vor allem sich selbst dabei beobachten wie Max Frisch? In seinem Bericht über den Intellektuellen-Kongreß wird kein Wort über das vergängliche Gedröhn der Ideologien verloren, aber seitenlang schildert Max Frisch das Verhalten von Menschen – wie sie aufeinander und auf ihn eingehen oder nicht. Ich kann mir nicht helfen: Ich stehe doch wieder vor Max Frischs Wahrheitsarbeit.

Diese Spielart hat etwas mit seinem Rang in unserer Gesellschaft zu tun. Max Frisch gehört zu dem, was man Prominenz nennt, und geht mit den Großen der Zeit um. Aber er läßt sich dadurch nicht korrumpieren. Er biedert sich nicht an. Er enthält sich der geläufigen, wichtigtuerischen, professionellen Entlarvung. Er beobachtet – und wenn einer das kann, ist's ein schier tödliches Geschäft. Auf Max Frischs Höhe erfährt man, daß die Leutseligkeit, die Gelassenheit der Macht so erschreckend ist wie ihre Arroganz, am schlimmsten aber ist wohl ihre hilflose Verfallenheit an ihre eigene Mächtigkeit. Das sei eine wichtige Frage, sagt Henry Kissinger, die er oft zu hören bekomme (nämlich, wie sich seine wissenschaftliche Theorie bewährt oder verändert habe durch Praxis), aber: »Er habe keine Zeit, darüber nachzudenken.« (*T* II, 306) Max Frisch: »Wer Entscheidungen fällt oder zu Entscheidungen rät, die Millionen von Menschen betreffen, kann sich nachträglich Zweifel, ob die Entscheidung richtig ist, nicht leisten . . .« (*T* II, 305)

Die meisten Zeugnisse unmittelbarer politischer Teilnahme sind übrigens erst in den *Tagebüchern* veröffentlicht worden und können also in der jeweiligen Lage keine Wirkung getan haben – außer der indirekten, daß hier ein Mann die Dinge so gesehen, so beurteilt, mit seinen Freunden so besprochen, sich so verhalten hat. Ich sage dies nicht nur, weil es rechtfertigt, daß ich hier in erster Linie von Max Frischs Verfahren und nicht von seinen literarisch-politischen Taten rede, sondern weil wir uns viel zu sehr daran gewöhnt haben zu meinen, nur was in die Zeitung und auf die Straße, was an hohe Stellen und auf den Bildschirm der Nation gelange, was Massenbasis habe, gehe in die Politik ein und verändere die Wirklichkeit.

Ich komme zu

2. Thesen und Hypothesen, die Max Frisch verfolgt und die ihn verfolgen
Ich könnte auch einfach von »Wahrheiten« sprechen, die Max Frisch anleiten oder die er gefunden hat. Es sind moralische Wahrheiten. Moralische Wahrheiten haben sowohl die Form des Indikativs wie des Imperativs.

Einerseits: »Es *ist* überall nichts in der Welt, ja überhaupt auch außer derselben zu denken, was ohne Einschränkung für gut gehalten werden kann, als allein der gute Wille« (Kant), oder: »Der Mensch wär gut, anstatt so roh, doch die Verhältnisse, die *sind* nicht so«, oder: »Erst *kommt* das

Fressen, dann *kommt* die Moral.« (Brecht)

Andererseits: »*Liebe* deinen Nächsten wie dich selbst« (Jesus von Nazareth), oder: »Edel *sei* der Mensch, hilfreich und gut« (Goethe).

Es ist für Max Frischs Umgang mit seinen Wahrheiten kennzeichnend, daß er sie sucht, sobald er sie hat. Man hat ihm darum vorgeworfen, er habe nur wenige Themen, er wiederhole sie dauernd. Richtig. Aber er langweilt nie. Er sitzt nicht einfach auf seinem Grundstück, er gräbt es um und bringt es zu immer neuem, anderem Blühen. Er verhält sich – mit Verlaub – empirisch zur Norm.

Ich beschränke mich auf diejenigen Thesen, die in einem vielleicht nicht offensichtlichen, aber für den Gutwilligen leicht herstellbaren Zusammenhang mit dem Thema Frieden stehen. Die folgenden Aussagen bestehen teils aus Zitaten, teils aus meinen Paraphrasen seiner Maximen:

– Wir neigen dazu, uns ein Bildnis vom anderen zu machen. Wenn wir es tun, ist es ein Zeichen der Schwäche, ja des Verrats. Wir halten nicht aus, daß der andere

unbestimmbar, ein Rätsel ist.
- Indem wir uns ein Bildnis von ihm machen, sind wir lieblos. Nur die Liebe erträgt es, daß ihr Gegenstand nicht festlegbar, ohne Bestimmung ist und sie selbst darum vielleicht sinn-los.
- Mit dem Bildnis legen wir den anderen nicht nur für uns fest, sondern auch für sich. Er wird zu dem, was das Bildnis vorschreibt: selffulfilling prophecy.
- Das Bildnis trägt die Züge unserer Angst oder unserer Wünsche. »Ganze Völker, die Angst haben vor ihren schlechten Eigenschaften, wollen sich damit helfen, daß sie diese beispielsweise in den Juden projizieren: damit sie ihrem Angst-Ich einmal leibhaftig begegnen, damit sie es quälen und töten können auf eine Manier, die ihnen selber nicht weh tut, aber dafür auch nicht hilft« (II, 217 f.): der Sündenbock.
- Eine besondere Form von »Sich-ein-Bildnis-machen« ist die Erwartung, ja Behauptung, etwas Geschehenes müsse einen Sinn haben, weil es geschehen ist. »Jeder Verlauf, der dadurch, daß er statt-

findet, andere Verläufe ausschließt, unterstellt sich selbst einen Sinn, der ihm nicht zukommt.« (V, 581) Wir ertragen auch hier nicht, daß etwas offen, zufällig, ungereimt bleibt. Und statt Rache zu nehmen für das, was nicht zum Zuge gekommen ist, legen wir es auf das Geschehene fest: Ideologisierung.

- Die Menschen neigen dazu, sich »nicht zur Gegenwart [zu] verhalten, sondern zur Erinnerung«. (*B* V, 492) So sagt die Mutter am Grab des gefallenen Hauptmanns zu ihrem kleinen Sohn: »Alles das Stolze, alles das Ehrenvolle, was dein Vater erstrebt hat – du, sein Sohn, wirst es weiterführen.« Während die Toten protestieren: »Es ist ein Irrtum gewesen.« Und: »Er soll Schafe scheren, er soll mein Erbe nicht sein.« Und: »Sie nehmen die Worte aus unserem Leben, sie machen ein Vermächtnis daraus, wie sie es nennen, und lassen uns nicht reifer werden, als sie selber sind.« (*NSSW* II, 134 f.)

- Wo es nicht gelingt, der schlimmen Vergangenheit einen Sinn zu unterstellen, verdrängen wir sie. »Von ihnen [den Verbrech des Krieges] nichts mehr wissen zu wollen, wird unsere eigene Schmach [mit diesem Wort zitiert Frisch Karl Kraus]: indem wir zwar ertragen, daß es diese Dinge weiterhin gibt, aber nicht, daß es sie gab.« (II, 279) Wahrheitsarbeit ist mit Trauerarbeit verwandt.

– Neben dem Bedürfnis nach einem Sündenbock ist das Ressentiment, der Neid auf den Stärkeren oder Freieren, auf den, der anders ist und doch glücklich, das schlimmste Gift in unseren Beziehungen; Haß als Gesinnung, Feindschaft als Gefühl sind seltener, schwieriger, von kurzer Dauer.

– Die politischen Konstrukte – Nationalstaaten, Militärbündnisse, Gesellschaftssysteme – brauchen solidarische Mitglieder; das einfachste Mittel zur Herstellung von Solidarität und zur Abstellung von Kritik – ein Mittel, das auch dann funktioniert, wenn das Gebilde schwach, korrupt, im Unrecht ist – ist das Feindbild.

– Dem Feind im Feindbild bekommt Ressentiment besser als Haß; Haß ist auf Nähe, Erfahrung, Kontakt angewiesen

wie Liebe; Ressentiment lebt von der
Ferne seines Objektes.
- Ressentiment nährt sich aus Minderwer-
tigkeitsgefühlen – der »andorranischen
Angst, Provinz zu sein, wenn man einen
Andorraner ernst nähme«, (*T* I, 12) Und
selbst »ein Andorraner, der Geist hat und
daher weiß, wie sehr klein sein Land ist,
hat [. . .] eine lebenslängliche Angst, daß
er die Maßstäbe verliere.« (*T* I, 12)
(Für gewalttätiges Verhalten braucht man
eine Reizung oder Angst und möglichst wenig Einsicht in die Folgen; zur Beschwichtigung nur Angst; zu friedlichem Handeln
dagegen klare, also ehrliche Erkenntnis; ihr
stehen im Wege:)
- mangelndes Selbstvertrauen: »Ein Ausländer unter sieben Einheimischen, und
wer ist besorgt, daß die andere Lebensart
ihn anstecken könnte: die sieben Einheimischen« (V, 383);
- Arroganz – der Macht wie der Ohnmacht
–, die nicht zuhört, »die keine Antwort
mehr zuläßt«, die selbst noch die Nieder-
lage, die Schuld, das Leid als Auszeichnung erlebt (*T* I, 145), verwandt mit dem

– Selbstmitleid, das wieder eine Art von höherem Sinn oder tieferer Bedeutung für sich beansprucht. »Daß es auch Elend gibt ohne sittlichen Ertrag, Elend, das sich auch in Geist und Seele nicht lohnt, darin besteht wohl das eigentliche Elend, das hoffnungslos ist, tierisch und nichts als dies, und jede Verbeugung davor schiene mir schamlos, eine Weihung der Bomben, eine literarische Ehrfurcht, die immer noch auf die Vergötzung des Krieges hinausläuft, also auf das Gegenteil unserer Aufgabe, daß wir das Elend bekämpfen . . .« (*T* I, 145 f.);
– die Neutralität aus naiver Überzeugung: weil nicht zu streiten besser sei als zu streiten, habe der Nichtstreitende auch das bessere Urteil.

Freilich, mit der nachdenklichen Neutralität ist man nicht besser dran: Man weiß, daß man nicht urteilen kann, weil man »es« – den Grund des Streits – nicht am eigenen Leibe erfahren hat, und muß doch urteilen, weil man sonst seinem eigenen Leben ohne Maßstab ausgeliefert wäre. Diese Gespaltenheit macht den wahren Neutralen für die anderen so unverständlich, isoliert ihn, zerstört seine Chance: »Der Kämpfende kann die Szene nur sehen, solange er selbst dabei ist; der Zuschauer sieht sie immerfort [. . .] [und ohne] Versuchung zur Rache. Vielleicht liegt darin das eigentliche Geschenk, das den Verschonten zugefallen ist, und ihre eigentliche Aufgabe: sie hätten die selten gewordene Freiheit, gerecht zu bleiben.« (*T* I, 150).

Mit dieser Sammlung habe ich mir bei meiner Aufgabe geholfen, das Verhältnis von Wahrheit und Friede zu verdeutlichen. Aber ich habe Max Frisch einen schlechten Dienst getan. Er hat ja nicht Aphorismen zur Lebensweisheit geschrieben, sondern in einer heiklen oder aufschlußreichen Lage etwas auf diese hin oder von dieser her gedacht. Es sind oft sogar Gedanken, die nicht er, sondern eine seiner Figuren in ihrer fingierten Lage denken muß. Und nun habe ich verallgemeinert, und wer Frischs »philosophy of life« in Kurzform haben will, liest in Zukunft bei Hentig nach.

Aber es gibt eben auch bei Frisch Grunderfahrungen und Grundüberzeugungen. Und wer sich anmaßt, von Frischs *Methode* der Wahrheitsarbeit zu reden, ohne deren *Gegenstand* zu nennen, der hätte Frisch noch mehr verfälscht.

Ich denke, mit einem gehörigen »caveant audientes« oder »caveat lector« ist mein Vorgehen nicht nur zulässig, sondern auch nützlich: Die Frischschen Wahrheiten enthalten ihr eigenes Antitoxin; sie verallgemeinern zwar, aber nur in dem Maß, das nötig ist, um der begrifflichen Verallgemeinerung zu begegnen, die wir aus Lebensschwäche begehen. Dieser Schwäche kommt eine große und gefährliche Philosophie zur Hilfe: der Idealismus. Idea = eidos = das Bild. Idealismus = Bildniswahrheit = es ist nichts erkennbar ohne einen Begriff. Diese Philosophie gibt die Zeit, das Individuum, das sich in der Zeit individuierende Leben für unwichtig aus.

Max Frisch wehrt diese Philosophie »unphilosophisch« ab – durch die Fülle glaubwürdiger Erscheinungen und Erfahrungen, die sich der Verallgemeinerung widersetzen. Aber von *dieser* Tatsache hat er sehr wohl einen Begriff, der in seiner kürzesten und allgemeinsten Form heißt: Du sollst dir kein Bildnis machen. – Und dies sagt er nicht, weil er das Erkennen und Leben mit Bildern, Vorbildern, Abbildern für eine schwache, unmenschliche Möglichkeit hält, sondern weil er weiß, wie menschlich und überwältigend stark sie ist.

3. Anlässe, politische Problembereiche, auf die Max Frisch mit seiner Methode des - hier endlich wäre das Wort einmal richtig angewendet - Hinter-Fragens reagiert.
Ich wähle aus dem *Tagebuch* II (1966-1971) aus und zähle auf: der Krieg in Vietnam; Gewalt und Gegengewalt; Gewalt gegen Sachen und gegen Personen; Waffenhandel; Gerichtsurteile hierzu; Kapitalismus/Erhaltung von Arbeitsplätzen/Urkundenfälschungen durch Konzernherren, die zugleich hohe Offiziere in der Armee sind; Politik durch Mord (Martin Luther King) und die Pressereaktionen darauf; Reisen im Ostblock; Studentendemonstrationen in Zürich; Bürgerwehren/Mehrheiten/Ruhe und Ordnung/das souveräne Volk; Suez-

Krieg; Militärputsch in Griechenland; Studentenbewegung; Flugzeugentführung; Palästinensische Befreiungsorganisation; Sicherheit der Stadt New York: Alcoholics Anonymous; Women's Liberation; Schwarze in USA; Einmarsch der Amerikaner in Kambodscha; Euthanasie. . .

Es sind die täglichen Themen der friedlosen Welt, aber nicht in den eingefahrenen Fronten, sondern freigeschüttelt, quer gedacht, gegen den Strich formuliert. Auch von Problemen kann man sich ein Bildnis machen. Diese Themen nehmen weit über die Hälfte des *Tagebuchs* ein.

4. *Sätze, die dabei vorkommen - weder Ergebnisse noch Mittel des Verfahrens, eher ein Schwarm von Stechfliegen, die uns nicht ruhen lassen.*
Vielleicht sollte bei jedem Satz mitgefragt werden: Wie hält man das aus, wenn Leute sagen. . . oder wenn wahr ist, daß. . .?

»Um diese Aussichten zu ertragen, habe ich mich umzusehen nach einem Sinn für das, was geschehen ist.« (Kürmann, *B* V. 564)

»Hast du schon einmal einen Irrtum eingesehen und damit weitergelebt?« (Kürmann, *B* V, 557)

»Insofern hat sich durch Ihr einwandfreies Verhalten nichts verändert, aber Sie fühlen sich wohler [als das letzte Mal]. Sie brauchen sich diesmal nicht zu schämen.« (Registrator, *B* V, 552)

»Ich habe mich an meine Schuld gewöhnt.« (Kürmann, *B* V, 516)

»Sie können [Ihre Intelligenz] schonen: indem Sie sich auf Skepsis beschränken.« (Registrator, *B* V, 503)

»Kaum sehen Sie eine junge Frau in diesem Zimmer, eine Unbekannte, denken Sie an eine Geschichte, die Sie schon erfahren haben. . . Sie meinen, die Zukunft zu erkennen durch Ihre Erfahrung.« (Registrator, *B* V, 503)

»Viele sind feig, aber ich weiß es, wenn ich feig bin.« (Andri, *A* IV, 533)

»Wo es am Mut fehlt, da fehlt es nie an Gründen.« (Karl, *NSSW* II, 103)

»Darum allein, daß wir als ihre Opfer starben, darum sind wir noch keine guten Menschen gewesen.« (Der Pope, *NSSW* II,

»Ihr Tod, Herr Oberlehrer, eine ausgemachte Nebensache: man bemerkt ihn überhaupt nicht auf dem Bilde der Wirklichkeit.« (Herbert, *NSSW* II, 129)

»Wir [!] müßten versuchen, ob ich [!] Sie begreifen kann; das bedeutet vorerst, ob ich hören kann, was Sie sagen möchten. Im weiteren müßte ich prüfen, wie weit Ihre andere Deutung, die aus Ihren anderen Erlebnissen hervorgeht, auch für mich gilt. . .« (Max Frisch an einen jungen Deutschen, *T* I, 144)

»Wir wollten nicht lügen. Als wir sahen, daß wir die Angst nur verschwiegen, haßten wir einander.« (Die Senora, *A* V, 522)

»Ja, du mit dem Übermaß deiner Unschuld. . .!« (Der Vater zu Andri, *A* V 534)

»Es bleibt der Verdacht, daß ich, Gast aus dem kapitalistischen Westen, dem Sozialismus wohl keine Hochhäuser zutraue.« (*T* II, 155)

»Die Lüge beginnt mit dem Verschweigen. Natürlich kann ich als Ausländer sagen, was ich will; langsam [jedoch] gibt man es auf.« (*T* II, 152)

»Ich verstehe immer mehr, daß Henry A. Kissinger, so oft es nur geht, seine Hände in die Hosentasche steckt; seine Verantwortung steht in keinem Verhältnis mehr zur Person, die einen Anzug trägt wir wir. Je mörderischer der Irrtum sein kann, um so weniger kann einer dafür.« (*T* II, 306)

»Ich überlege, warum ich einem Mann [Kissinger], der unter Morddrohung steht, ungern widerspreche: als schütze es ihn, wenn ich schweige, was immer er sagt.« (*T* II, 298)

Ich gestehe, daß ich buchstäblich Hunderte solcher Sätze auf Tausenden von Seiten angestrichen habe: erschrocken über mich, daß ich darauf nicht gekommen wäre, daß ich zu konventionell wahrnehme, mich selbst nicht beobachte, wenn ich anderes beobachte, die Abgründigkeit der Oberfläche nicht erkannt habe.

5. Ein Beispiel für Wahrheitsarbeit

Machen wir uns noch einmal klar, worum es bei diesem Beispiel gehen soll: Ein Mensch, der zufällig ein Buch von Max Frisch liest oder ein Stück von ihm sieht, wird mit einer Lage konfrontiert, in der die Gewalt das Recht, der Krieg die Lösung von Problemen, die Heuchelei den freien Gebrauch der Vernunft ersetzt haben; er soll erkennen oder, da er es meist schon wissen wird, sich vergewissern, daß die Willkür auf die Unterdrückung von Wahrheit angewiesen ist, daß also Wahrheit eine gefürchtete und, wenn angewendet, wirksame Waffe ist, die man z. B. für den Frieden einsetzen kann; er wird dazu gebracht – und hier unterscheidet sich Frischs Buch oder das Stück von einem herkömmlichen Lehrbuch oder Lehrstück –, sich auf eine geistige, emotionale und moralische Mühe einzulassen; er gerät in Not mit sich selbst, wenn er der Wahrheit zu Hilfe kommen soll.

Das Stück, an dem ich zeigen will, wie das funktioniert, ist *Die Chinesische Mauer. Eine Farce.* Als Farce erlaubt es sich Übertreibungen, Vereinfachungen, Verzerrungen und macht dadurch sein Prinzip sichtbar.

Die Chinesische Mauer – ein Werk des Kaisers Hwang Ti – ist »ein Schutzwall gegen die barbarischen Völker der Steppe«

und ein »immer wiederholter Versuch, die Zeit aufzuhalten« (*ChM* II, 141). Auf der Bühne befinden sich die schon zitierten »Figuren, die unser Hirn bevölkern«, und außer den Chinesen eine Möglichkeit unserer selbst in Gestalt des Heutigen. Wir selbst sitzen ja im Parkett.

Ich erzähle hier nicht die Fabel des Stükkes, sondern das Schicksal der Wahrheit in ihm. Ich tue das in 12 Schritten.

1. Im Laufe der Menschheitsgeschichte verändert sich »die« Wahrheit: Jede der Figuren ist von der ihren besessen, und wenn sie sich träfen, wie hier in dem Stück Napoleon und Columbus, Pilatus und Don Juan, die Inconnue de la Seine und Brutus, Philipp II. von Spanien und Emile Zola, dann relativierten sich ihre Wahrheiten gegenseitig. Es bleibt keine Wahrheit übrig, sondern die Not, die herrschende Vision, das eine unbewältigte, alle anderen auf sich versammelnde Faktum einer Zeit – in der unseren: die Wasserstoffbombe, die Tatsache, daß »die Sintflut herstellbar« (*ChM* II, 149) geworden ist.

2. Und darum ist Alleinherrschaft ein unzeitgemäßes, untragbares Abenteuer. »Wer heutzutage auf dem Thron sitzt, hat die Menschheit in der Hand. [. . .] Eine einzige Laune von ihm, [. . .] ein Nervenzusammenbruch, eine Neurose, eine Stichflamme seines Größenwahns, eine Ungeduld wegen schlechter Verdauung: Und alles ist hin.« (*ChM* II, 149) Und darum die dringende Bitte des Heutigen an Napoleon: »Sie dürfen nicht wiederkehren, Exzellenz, auch keine hundert Tage.« Die Wahrheiten oder idées fixes der anderen Figuren sind, weil sie ebenso absolut sind, genauso gefährlich wie die der Welteroberer und Monokraten.

3. Der Machthaber, Kaiser Hwang Ti wie alle anderen, erträgt nicht die Wahrheit seiner Macht: daß sie Willkür ist. Seine Herrschaft soll sein: eine »Ordnung, die wir nennen die Wahre Ordnung und die Glückliche Ordnung und die Endgültige Ordnung.« (*ChM* II, 167) Er hat alle Feinde besiegt – »bloß die Wahrheit noch nicht« (*ChM* II, 144): Es gibt da die unfaßbare »Stimme des Volkes«, und sie »verbreitet Sprüche«. Sie heißt sehr chinesisch oder sehr psychologisch, je nachdem, wie man ihren Namen betont: Min Ko.

4. Eine alte Frau kommt mit ihrem Sohn nach Nanking, in die Hauptstadt. Sie wollen »den Himmelssohn sehen, der immer im Recht ist. Sie sagen, es ist nicht wahr. [. . .] Sie sagen es im ganzen Land. [. . .] Das ist mein Sohn. Mein Sohn ist stumm. Er hat es nicht von mir. Vielleicht ist es sein Glück, daß er stumm ist.« (*ChM* II, 143).

5. Der Stumme wird verhaftet, verdächtigt, die Stimme des Volkes zu sein. Er hat dem Kaiser nicht zugejubelt, als dieser durch die Straßen fuhr. Er hat sich hinterher zwar auch nicht umgedreht wie alle anderen, die ihre »Sprüche des Spottes munkeln«, aber »wenn einer den Braven spielt so öffentlich [. . .], das muß ein schöner Schurke sein.« (*ChM* II, 172)

»Vielleicht ist er stumm?« »Stumm. . . Der Einfall ist gut. Wir suchen Min Ko, die Stimme des Volkes, und nun, so will er uns glauben lassen, nun haben wir einen Stummen verhaftet. Heißt das nicht, daß er uns abermals verhöhnt? Einer muß es doch sein! Soll ich denn niemals meinen Frieden haben?« (*ChM* II, 173)

6. Der Prozeß wird angeordnet. Hwang Ti zu den Zuschauern: »Ich weiß genau, was ihr denkt, ihr da unten. Ihr denkt, noch heute abend werde ich von diesem Thron gestürzt, denn das Spiel muß doch ein Ende haben und einen Sinn, und wenn ich gestürzt bin, könnt ihr getrost nach Hause fahren, ein Bier trinken und einen Salzstengel essen. Das könnte euch so passen. Ihr mit eurer Dramaturgie! Ich lächle: Geht hinaus und kauft eure Zeitung, ihr da unten, und auf der vordersten Seite steht mein Name. Denn ich lasse mich nicht stürzen; ich halte mich nicht an Dramaturgie.« (*ChM* II, 175)

7. Die Hoffnung auf Auswanderung in unbekannte, unbetroffene Teile der Welt gibt es nicht mehr. Columbus, den man für das Entdecken von Kontinenten für zuständig hält, dem es aber allein »um die Wahrheit«, um den Beweis seiner Theorie über den Seeweg nach Indien ging, tröstet mit dem Satz, den ich gern wiederhole: »Auch Euch, mein junger Freund, verbleiben noch die Kontinente der eigenen Seele, das Abenteuer der Wahrhaftigkeit. Nie sah ich ande-

re Räume der Hoffnung.« (*ChM* II, 184)

8. Mit dieser Mahnung gehen wir in den Schauprozeß gegen die Stimme des Volkes. Der Stumme wird gefragt, ob er Min Ko sei, der die Sprüche erfunden und über das ganze Reich verbreitet habe von Mund zu Mund. »Wenn du schweigst, mein Sohn, so bedeutet das, du willst nicht erkannt sein. Wenn du nicht erkannt sein willst, so heißt das: du bist der Mann, den wir suchen.« Der Heutige: »Du bist es nicht, ich weiß es. Warum redest du nicht? Sie haben Angst vor deinem Schweigen. Siehst du das denn nicht? Sie meinen, du denkst die Wahrheit, bloß weil du schweigst.«

»Die Folter wird ihn sprechen lehren!«

»Und was, Majestät, soll er sprechen?«

»Die Wahrheit!«

»Wozu?«

»Meint man, ich kenne die Wahrheit nicht?«

»Um so besser, Majestät, dann braucht's keine Folter. . . (sagt der Heutige, und zum Stummen:) »Du siehst, mein Sohn, wieviel einfacher es wäre, wenn du heucheln könntest. Dein Schweigen bringt alles durcheinander. Am Ende zwingst du sie noch, die Wahrheit selbst zu sagen.« Kurz drauf brüllt der Kaiser sie dem Stummen ins Gesicht: »Verräter, du elender, verstockter, meinst du, wir wissen nicht, was du denkst hinter deiner dreckigen Stirn... Die Große Mauer... nichts als Geschäft! Millionen verrecken dabei.« Und nach einer langen Liste von Offenbarungen auch noch dies: »Ich soll ein Feigling sein... sagst du, ich wage nicht zu hören, was meine Getreuen in Wahrheit denken, daß sie mich hassen, sagst du.«

»Papa! Hör auf! Das ist doch Wahnsinn. Wozu das? Ein jeder weiß, du hast die Macht... Du änderst doch nichts an der Wahrheit... Hör auf mit dieser *Farce*.« (*ChM* II, 189-194)

Ein Mandarin sagt: »Endlich!«

Aber es geht weiter: zur Folterung.

9. Mee Lan, die Tochter des Kaisers, die sich mit dem Heutigen unterhalten und ein anderes Bewußtsein erlangt hat, Mee Lan und dieser Heutige machen sich gegenseitig Vorwürfe, daß sie nichts verhindert haben. Dabei haben sie aus relativ sicherer Position

– Mee Lan als Tochter des Kaisers, der Heutige, indem er gleichsam außerhalb des Horizonts steht und redet – mehr gesagt, als je einer von uns einem solchen Tyrannen zu sagen wagen würde. Wir haben es in unserem Parkettsitz vernommen. Was könnten wir sagen, was würden wir tun? Tyrannenmord à la Brutus (auch er bevölkert – Jamben sprechend – unser Hirn) nützt nichts, wenn weder die Menge noch die Wirtschaftsbosse zu ihm stehen. Die Menge braucht die Großen wie Brot, mitsamt dem Unrecht:

»Wer Unrecht leidet (fragt die eigne Brust)
Dünkt selber sich, bloß weil er leidet, schon Gerecht, kann fordern, was er selbst nicht leistet.«

(*ChM* II, 212)

Und den Bossen ist es gleich, wer sie vor der Lohnerhöhung bewahrt. Ganz abgesehen davon: »die Polizei ist Herr der Lage.« (*ChM* II, 202)

Das J'ACCUSE von Zola ist längst zu einer Stilform geworden. Menschenleben sind damit nicht mehr zu retten.

74

Mee Lan zum Heutigen: »Ihr mit eurem Wissen! Und was kommt dabei heraus? Ihr mit euren großen Formeln! Die Achsel zukken, wenn ein Mensch geschunden wird und die nächste Zigarette anzünden.«

Der Heutige: »Du hast recht, Mee Lan: [. . .] das ist alles, was unsereiner zu Zeiten vermag. Du findest einen Mann, der nicht in der Lage ist, die Welt zu verändern –«

Mee Lan: »Du bist kein Mann!«

Der Heutige: »Sonst hätte ich mich umbringen lassen, meinst du, auf der Stelle. Das ist es, was du erwartet hast. Es hätte die Welt nicht geändert.« (*ChM* II, 199) Und: »Vielleicht bin ich feige. Sonst würde ich sehen, was ich zu tun habe.«

Was tue ICH?

Frisch läßt mich/ihn »Biografie« spielen: ICH, der Heutige, beschließe, eine andere Entscheidung zu treffen: die Wahrheit zu sagen, die ich weiß. »Das Volk, meine Herrschaften, hat keine Stimme: wenn wir sie ihm nicht leihen, irgendeiner von uns!« (*ChM* II, 205) Als Min Ko spricht er über die Menschheit im Zeitalter der Wasserstoffbombe (aber auch, so ergänze ich, von

Contergan oder TCDD oder der Zerstörung des Ozongürtels und allem, was von »eurer Art, Geschichte zu machen«, kommen kann). »Eine Gesellschaft, die Krieg als unvermeidlich erachtet, können wir uns nicht mehr leisten.« Für diese Rede bekommt er einen Staatspreis: für die »ergreifende Weise«, in der er es verstand, »den Tyrannen jenseits der Chinesischen Mauer die vollkommene Wahrheit zu sagen.« (*ChM* II, 20)

11. Der Aufstand des Volkes findet siegreich statt, aber es ist der Aufstand des Prinzen und Generals. Der geschundene Stumme wird vom Volk bejubelt, von der Mutter beweint. Der Heutige beschwört die Mutter: »Es wird nie wieder geschehen. Wenn du vor allen, die uns hören, die Wahrheit sagst: – Dein Sohn ist stumm, nicht wahr? Er ist nicht Min Ko, er ist nicht der Mann, der die Sprüche gemacht hat.«

Die Mutter: »Habe ich dir Unrecht getan, Wang? Ich habe immer gemeint, du bist dumm. – Mein Sohn ist nicht dumm! [. . .] Warum soll er keine Sprüche machen? Warum soll er kein wichtiger Mann sein?

Ja, er ist's. Ja! Ja!« Die Menge brüllt vor Begeisterung und trägt den Gefolterten auf ihren Schultern davon (*ChM* II, 211).

Und die ganze Farce kann von neuem beginnen.

12. Max Frisch in einem Brief an die Darstellerin einer Nebenrolle: »Dabei [ist] die Geschichte so einfach, nichts anderes als die Erfahrung, die jedermann macht: daß wir ein Wunschleben haben, das uns begleitet, und ein Angstleben, und daß eben dieses Leben, das wir nur ersehnen und erfürchten, aber nicht äußerlich leben, unser täglicher Gegenspieler ist.« (II, 217)

Diese Erfahrung bewußtmachen hieße, daß wir es auch mit den äußeren Gegenspielern aufnehmen können, daß wir Wunsch und Angst durch Realität ersetzen können. Dieses Bewußtsein muß erlistet werden – indem wir uns mit jemandem identifizieren, dessen Ohnmacht wir nicht aushalten und dessen Zweideutigkeit wir durchschauen. Das macht, daß wir handeln, uns selbst überschreiten wollen.

Meine Generation ist immer in der Gefahr, die Bewältigung der Tyrannis, die sie versäumt hat, nachzuholen und nicht zu sehen, daß der Frieden inzwischen auch anders bedroht ist. Wer dies erkennt, wird den Figuren, die sein Hirn bevölkern, wenn nicht den Abschied geben, so ihnen doch ihren richtigen Platz anweisen. Er wird hinnehmen, daß der Friede durch eine jeweils andere Wahrheit gerettet werden muß.

Von der Person, die den Preis bekommt, habe ich nicht gesprochen. Ich bin nicht sicher, ob ich sie gut genug kenne. Ich weiß, wie Max Frisch wohnt, ich bin mit ihm gewandert, ich habe erlebt, wie er sich in einer neuen Begegnung verhält, er hat mir ein wenig über Ingeborg Bachmann erzählt, ich kenne seine Frau. Aber in alledem ist nichts anders als in seinem *Tagebuch*: ein Teil Politik, ein Teil Umgang mit Menschen – und dahinter ein Abgrund von Wahrheitsarbeit an der eigenen Person. Wenn der Vorwurf stimmt, er sei in seinem Werk zu persönlich, dann *muß* ich nicht bange sein, wenn ich mich so ausschließlich ans Werk gehalten habe. Stimmt, was ich meine (und er selber auch), daß seine Sache vornehmlich die Selbsterfahrung und Selbstprüfung ist, die er für andere als eine Art Modell bereitstellt, dann *darf* ich nicht bange sein.

Es wird Ungeduldige geben, die sagen, dies sei und bleibe Literatur. In der Tat, hier wird kein Polenvertrag geschlossen und keine Steuererhöhung zur Unterstützung der Dritten Welt erhoben. Max Frisch kann nur dir und mir zeigen, was *wir* tun können, damit *wir* zu mehr bereit sind. Andere haben anderes beizutragen. Weil Frieden eine so umfassende, nicht teilbare Sache ist, verführt er zu Totaltheorien. Das wäre nicht so schlimm, folgte ihnen nicht eine Politik des ›Alles oder Nichts‹. Und die – anderes haben wir nicht erlebt – endet mit Nichts.

Was ich versucht habe, war dies: Ich wollte Ihnen zeigen, was es heißen kann, durch Dichtung, die etwas Nicht-Praktisches ist, helfen, einen Gedanken zu verwirklichen. Ich habe den Verdacht geäußert, daß die der Dichtung in solchen Zusammenhängen meist zugewiesene Rolle, Gegenwelten zu entwerfen, die Phantasie anzuregen, Mut zur Utopie zu machen, ein – vielleicht unbewußter – Versuch ist, sie auf die glanzvollere, aber wirkungslosere Aufgabe abzudrängen. Dichtung als Diagnostik, als Anleitung zur Selbsterkenntnis, als Mittel zur Auflösung der Mythologie des Alltags, als Sprache, in der ich die Figuren, die mein Hirn bevölkern, zur Rede stelle, als Spiel, mit dem ich meinen inneren Gegenspieler überspielen kann, Dichtung als ein Verfahren (oder auch Prozeß) gegen die gefälligen und hartnäckigen Scheingewißheiten, die uns zu Anbiederung oder Vergewaltigung verführen – diese Dichtung ist seltener und des Ruhmes an dieser Stelle würdiger.

Utopien brauchen wir. Aber wir werden sie verstoßen, verwünschen, verleumden, wenn wir merken, daß wir ihnen nicht näher kommen.

Das ist doch die »Tendenzwende«: nicht eine Ursache für die Preisgabe von Hoffnung, Fortschritt, von Reform, sondern selbst eine Folge davon, daß diese so schnell und einfach nicht vor sich gegangen ist, wie geplant.

Max Frisch hat keine Utopien geschrieben. Er hat vielmehr den schwierigen Weg

dorthin beschritten, hat die Hindernisse gezeigt und wie man sie überwindet. Er lehrt
die Kleinarbeit, die Praxis: das Lesen der
Wegekarte und ihres Maßstabs, das Frühaufbrechen und Zur-rechten-Zeit-Rasten;
bergauf langsam gehen und bergab nicht
rasen, und wenn man sich verlaufen hat,
nicht anderen die Schuld geben – das nützt
nichts.

Mag sein, daß er das gar nicht gewollt hat.
Und verständlich, wenn er nicht will, daß
die Utopie uns einfach vergeht. Ja, wenn er
hier steht und die Utopie hochhält, dann
will vor allem ich als Pädagoge dankbar
dafür sein. Meine Aufgabe an dieser Stelle
freilich war es nicht, Max Frisch recht zu
geben, sondern ihn zu loben: dafür, daß er
uns – nämlich dir und mir – hilft, den
Frieden, der einstweilen nur eine Hoffnung
ist, zu verwirklichen.

Max Frisch
Wir hoffen

Friedenspreis des Deutschen Buchhandels
Frankfurt am Main, 19. September 1976

Der Preis, der hier von Jahr zu Jahr verliehen wird zur Zeit der Messe, ist kein literarischer Preis. Hier ist nicht zu sprechen über Literatur als Notwehr oder Ware. Die diesen Preis verleihen, verstehen Literatur als ein Vehikel für Gesinnung und verbinden die Ehre, die durch die Anwesenheit hoher Behörden unserem Berufsstand erwiesen wird, mit der Herausforderung, etwas über den Frieden zu sagen.

»Ich erschrak«, so Sigmund Freud an Albert Einstein, der 1932 in einem Brief gefragt hatte, was man denn tun könne, um das Verhängnis des Krieges von den Menschen abzuwenden: »Ich erschrak zunächst unter dem Eindruck meiner – fast hätte ich gesagt: unserer – Inkompetenz, denn das erschien mir als eine praktische Aufgabe, die den Staatsmännern zufällt.« Den Nachsatz könnte auch der sogenannte Mann-von-der-Straße gesagt haben. »Ich verstand dann aber«, so schreibt Freud weiter an Einstein, »daß Sie die Frage nicht als Naturforscher und Physiker erhoben haben, sondern als Menschenfreund, der den Anregungen des

Völkerbundes gefolgt war«; und vor seiner Analyse, warum es unter Menschen zum Krieg kommt, nochmals die Bescheidenheit des Gelehrten: »Ich besann mich auch, daß mir nicht zugemutet wird, praktische Vorschläge zu machen.« Sieben Jahre später brach der Weltkrieg aus... Unser Wunschdenken nach Hiroshima, die Meinung nämlich, daß die Atombombe nur noch die Wahl lasse zwischen Frieden oder Selbstmord der Menschheit und infolgedessen den Ewigen Frieden herbeigeführt habe, hat nicht lang gehalten: Krieg in Korea, Krieg im Nahen Osten. Begnügen wir uns mit der Hoffnung, daß es ohne Atombombe geht? Der Krieg in Vietnam, geführt und verloren von unsrer Schutzmacht, hat im Einsatz von Vernichtungswaffen den letzten Weltkrieg übertroffen – ohne Atombombe – und zudem wiederholt, was seit Nürnberg als Kriegsverbrechen definiert ist. Die neueste Hoffnung, man weiß, geht dahin, daß ein nuklearer Schlagabtausch (Krieg wird da ein romantisches Wort) zwar keineswegs auszuschließen ist, daß er aber nicht das ganze Menschengeschlecht vernichte, sondern nur die Hälfte etwa, vielleicht sogar nur ein Drittel. Wer heute von Frieden redet und unter Frieden etwas anderes versteht als eine temporäre Waffenruhe bei unentwegter Pflege der Feindbilder wechselseitig, so daß die Abschreckungsstrategie die einzig denkbare bleibt, spricht von einer Utopie, und dasselbe gilt für die Freiheit, ohne die (wie es an dieser Stelle schon dargelegt worden ist) kein Friede ist. Zu fragen bleibt also nach unserem politischen Umgang mit der Utopie.

Beginnen wir mit der Freiheit.
Sicher in der Verneinung jeder Art von Diktatur, sowohl einer sogenannten Diktatur des Proletariats als auch einer Diktatur der Besitzenden, die sich freilich nie so nennen wird, bin ich Demokrat, als Demokrat nicht euphorisch. Demokrat ist man in der Hoffnung, daß Herrschaft in rationale Autorität überführt werde. Wir brauchen den Staat, nicht seine Vergötzung als Obrigkeit, was ein Relikt feudaler Herrschaft ist. Man weiß es: je mündiger wir wären, um so weniger Staat wäre vonnöten; schon das

macht den Staat zum steten Ärgernis: seine Notwendigkeit verweist auf unseren Mangel an Solidarität, unsere Unzuverlässigkeit, unseren Mangel an Vorstellungskraft, wie mein Tun und Lassen sich für die Nachbarn auswirkt oder für die Nachkommen. EIGENTUM VERPFLICHTET, so sagt das Grundgesetz und fügt hinzu: SEIN GEBRAUCH SOLL ZUGLEICH DEM WOHLE DER ALLGEMEINHEIT DIENEN. Kann man es höflicher sagen? NOBLESSE OBLIGE; wenn aber die Eigentümer-Macht, zum Beispiel die Boden-Spekulation, auf solche Noblesse, die ihr die Väter des Grundgesetzes unterstellen, gar keinen Wert legt? Wir brauchen also den Staat. Der Ruf nach Freiheit, mehr Freiheit vom Staat, ist prüfenswert; kommt er von Mitbürgern, die zugleich die Polizei verstärkt haben möchten, so wissen wir, wessen Freiheit da gemeint ist: die Freiheit für die Wenigen, die den Staat, sobald sie ihn in der Hand haben, lieber nicht als Staat bezeichnen, sondern als Vaterland, das Opfer verlangt von der Mehrheit ... Der Grund, warum ich als Demokrat nicht euphorisch bin, ist dieser: die parlamentarisch-demokratische Apparatur, eingespielt auf Kompromiß in Permanenz, erzieht nicht nur zur Toleranz, was ja eine humane Qualität wäre über den staatsbürgerlichen Bezirk hinaus, mehr noch erzieht sie zur Resignation, zur Preisgabe jeder Utopie. Unter Demokratie-Praktikern ist Utopie das schlichte Synonym für Hirngespinst. Was eines Tages bleibt: eine Technokratie, als solche effizient; es schwindet die spirituelle Substanz der Politik. Es bleibt: Politik als Fortsetzung des Geschäfts mit andern Mitteln, ein gewisser Wohlstand für die meisten als Köder zum Verzicht auf Selbstbestimmung, die Verkümmerung unsrer Humanität in Komfort-Hörigkeit ... Die Jugend, die in den späten sechziger Jahren als Außerparlamentarische Opposition auftrat, merkte diese schleichende Resignation und wehrte sich: in Frankreich mit Allüren aus der Erinnerung an die Erstürmung der Bastille, es kam zu Bildern, die an Delacroix erinnern; in der Bundesrepublik theorie-rabiat und mit der Intransingenz von Revolutionären, die sich ohne Massen-Basis sehen. Das ist gewesen.

Schüler und Lehrlinge, sogar Studenten, befragt nach ihren Gedanken über die Aufgaben einer Demokratie, zucken heute die Achsel. Sie wissen, was es sie kosten kann, wenn sie Gebrauch machen von dem verfassungsmäßigen Recht auf Meinungsfreiheit. Daß es gelungen ist, sogar die Jugend, einen großen Teil der Jugend in die Resignation zu zwingen, ist kein Triumph der Demokratie. Die hektische Suche nach dem Verfassungsfeind, wobei man sich selber für verfassungstreu hält, ohne die großen Versprechen der Verfassung zu erfüllen, die Suche nach dem Sündenbock also, begleitet von dem pharisäerhaften Erbarmen mit den Dissidenten anderswo, kennzeichnet eine Gesellschaft, die Angst davor hat, daß ihr Bekenntnis, das demokratische, beim Wort genommen wird: eine Profit-Konkurrenz-Gesellschaft mit demokratischem Vokabular, wobei es eine Lüge wäre zu sagen, eben die Konkurrenz garantiere ja, daß die Leistung entscheide; es bleibt, wie liberal man sich in der Rede auch gibt, eine Konkurrenz zwischen Bevorzugten und Benachteiligten. Um aus der öffentlichen Diskussion zu verbannen, was die Bevorzugten ungern hören, nämlich Kritik an der veritablen Struktur unsrer Gesellschaft und Zielvorstellungen, demokratische, genügt heute schon da und dort das Etikett: LINKS, wie es einmal genügt hat, vor langer Zeit, zu sagen: ENTARTET. Nun meine ich nicht, daß Geschichte sich haargenau wiederhole. Ich beobachte bloß: ein Klima des Ressentiments. Kein Fememord; nur eben eine Allergie gegenüber politischem Bewußtsein, das zu analysieren vermag. Keine Schutzhaft; nur eben die Verweigerung des Diskurses, hierfür genügt zunächst der RADIKALEN-ERLASS, die Legitimation eines Ressentiments durch den administrativen Pakt mit diesem Ressentiment.

Meine Damen und Herren,
als Ausländer gehalten (ich weiß!) mich nicht einzumischen in die inneren Angelegenheiten der Bundesrepublik, deren intellektuelle Potenz wir bewundern, deren wirtschaftliche Potenz ihr das Selbstbewußtsein gibt, Modell zu sein – ob auch für Italien und Frankreich, darüber haben die

italienischen und französischen Wähler zu befinden –, als Ausländer verweise ich, da die Rede sein soll vom Frieden, auf ein Phänomen, das zur Friedensfrage gehört und sich nicht in Landesgrenzen hält. (In meiner staatsbürgerlichen Heimat haben wir ungefähr dieselbe Praxis: ohne gesetzliche Erlasse zum Schutz der Demokratie durch Abbau der Demokratie.) Als Schriftsteller hat mich beschäftigt die Genesis der Feindbilder: wie ein Ressentiment, Projektion der eignen Widersprüche auf einen Sündenbock, ein Gemeinwesen erfaßt und irreführt; die Epidemie der blinden Unterstellung, der Andersdenkende könne es redlich nicht meinen; wie aus der Angst vor Selbsterkenntnis (sie fällt uns allen schwer) der kollektive Haß entsteht, der ein Feindbild braucht, dieses oder jenes; die Verfemung einer Minorität mit dem paradoxen Ergebnis, daß die Majorität sich dabei selbst entmündigt: – indem schließlich jedermann, der an solcher Verfemung nicht teilnimmt, weil sein Gewissen es ihm verbietet, sich selber der Verfemung aussetzt, wird die Majorität gewissenlos und feige, das heißt aber: regierbar als eine Majorität von Untertanen.

Ohne Freiheit kein Friede
Die Jahre des Kalten Krieges zeigten in einem Kleinstaat, der militärisch ohnehin verloren wäre, vielleicht besonders deutlich, was auch anderswo gilt: daß das Feindbild, wie es der Kalte Krieg entwickelt hat und wie es heute weiter gepflegt wird, nicht zuletzt einen innerstaatlichen Zweck hat, die Erhaltung eben einer Herrschaft, die ohne Abschreckung nicht auskommt. Die schiere Unmenschlichkeit auf der andern Seite (und etwas anderes ist im Kalten Krieg ja nicht zu vernehmen) als Dispens von jeder Selbsterforschung; das stupide Muster: Wer Kritik übt am eignen Land, stehe im Sold des Feindes. Nicht daß die Mitbürger, die seit zwei Jahrzehnten dieses Muster gebrauchen, den wirklichen Krieg wollen, den China vermutlich überlebt, aber nicht Europa; der Zweck des Kalten Krieges ist die Tabuisierung der vorhandenen Herrschaftsform . . . Das würde bedeuten: der Friede (als ein Zustand nicht ohne

Auseinandersetzung, aber ohne die Drohung mit der Katastrophe) ist nicht in erster Linie, wie es täglich dargestellt wird, eine Sache der Strategie, der militärischen und der diplomatischen; er ist auch nicht herzustellen durch persönliche Sanftmut, bis eines Tages der Marschbefehl kommt, der Fahneneid, der Schießbefehl; er ist herzustellen nur – im Sinn der These: Ohne Freiheit kein Friede – durch den Umbau der Gesellschaft in eine Gemeinschaft.

Wozu die Utopie?
Ob es die Utopie ist von einer brüderlichen Gesellschaft ohne Herrschaft von Menschen über Menschen oder die Utopie einer Ehe ohne Unterwerfungen, die Utopie einer Emanzipation beider Geschlechter; die Utopie einer Menschenliebe, die sich kein Bildnis macht vom andern, oder die Utopie einer Seligkeit im Kierkegaardschen Sinn, indem uns das allerschwerste gelänge, nämlich daß wir uns selbst wählen und dadurch in den Zustand der Freiheit kommen; die Utopie einer permanenten Spontaneität und Bereitschaft zu Gestaltung-Umgestaltung

(nach Johann Wolfgang Goethe: DES EWI-
GEN SINNES EWIGE UNTERHAL-
TUNG), alles in allem: die Utopie eines
kreativen und also verwirklichten Daseins
zwischen Geburt und Tod – eine Utopie ist
dadurch nicht entwertet, daß wir vor ihr
nicht bestehen. Sie ist es, was uns im Schei-
tern noch Wert gibt. Sie ist unerläßlich, der
Magnet, der uns zwar nicht von diesem
Boden hebt, aber unserem Wesen eine Rich-
tung gibt in schätzungsweise 25 000 Allta-
gen. Ohne Utopie wären wir Lebewesen
ohne Transzendenz.

*Woher das Ressentiment gegen die linke
Utopie?*
Ohne Zweifel hat es mit den studentischen
Unruhen zu tun, obschon sie an den Besitz-
verhältnissen nicht das mindeste geändert
haben. L'IMAGINATION AU POU-
VOIR: General de Gaulle (und das heißt:
Der Staat) hat den Tumulten standgehalten,
nicht zuletzt dank der Kommunistischen
Partei. (Ich befand mich damals in Moskau
und hörte die Angst eines Funktionärs, die
Spontaneität könnte Schule machen.) In den

Vereinigten Staaten: FREE SPEECH MOVEMENT, das erste Erwachen aus dem Amerikanischen Traum während des Pseudo-Kreuzzuges in Vietnam, dazu die Blumenkinder, Revolte mit der Gitarre, naiv, LET US BE, ohne ohrenbetäubende Theorie; die Staatsmacht, die in Kent State nicht ohne Morde auskam, blieb ungefährdet. Auch in der Bundesrepublik – der Student Benno Ohnesorg, der den Schah von Persien nicht am Genuß der deutschen Oper hinderte, wurde von einem Wachtmeister versehentlich erschossen – war die Staatsmacht nicht eine Viertelstunde lang in Gefahr. Warum bleibt trotzdem ein Schock? Als habe man sich an Massaker zu erinnern, mindestens an einen Total-Streik. Nicht die Arbeiterschaft ging auf die Straße oder besetzte eine Universität; Söhne und Töchter des Bürgertums wollten wissen, worauf die Autorität in unsrer Gesellschaft gegründet ist. Eine statthafte Frage, wenn auch unerwartet in einer Zeit der Konjunktur, die doch Karrieren anbot. Statt stiller Teilnahme am Geschäft, das diesen Bürgerkindern offenstand, das plötzliche Aufkommen po-

litischen Bewußtseins; die Universität, eben
noch eine Karriere-Schule, plötzlich als Fo-
rum. Dabei hat sich gezeigt: was die Eigentümer-Macht, bisher ihrer Autorität gewiß,
anzubieten hat außer einer Fülle von Kon-
sumgütern, welche Perspektive für eine hu-
manere Welt, welche sittlichen Werte, die
nicht durch ihre Praxis annulliert werden,
welche Hoffnung für alle oder auch nur was
sie selbst beseelt, abgesehen von dem Glauben an die freie Marktwirtschaft, ist dürftig.
Profit als Wonne der Persönlichkeit? Es hat
sich gezeigt, meine ich, eine Leere. Inzwischen gibt es, außer der Polemik in der
großen Presse, die der Eigentümer-Macht
gehört, eine konservative Utopie-Kritik von
wissenschaftlicher Statur. Gibt es (ich muß
fragen, da ich nicht Fachmann bin) eine
Sozial-Ethik, die der Macht durch Eigentum, zum Beispiel einem Nestlé-Konzern
oder Hoffmann-La Roche, Autorität einbringt? In Verbindung mit dem Versuch,
die Intellektuellen zu diskreditieren, hören
wir die laute Sorge um die Rechtsstaatlichkeit, die verletzt worden ist; in der Tat,
durch einige Verzweifelte und Verirrte –

wobei die Rechtsstaatlichkeit, Voraussetzung einer gesitteten Gesellschaft, zum Wert an sich erhoben wird: als lebten wir, wie auch immer, für den Rechtsstaat schlechthin. Gemeint ist wohl, daß die Besitzverhältnisse unantastbar sein sollen. Es hilft nichts zu sagen: Ihr sollt euer Haus und euren Garten behalten und dies und das, nur nicht die Möglichkeit, daß Macht durch Eigentum eine vom Volk gewählte Regierung aus dem Sattel stoßen kann, indem sie, zum Beispiel, Krisen veranstaltet und dazu Waffen liefert wie im Fall von Chile, wo seither gefoltert wird. Es hilft nichts, denn es geht nicht um Haus und Garten und was jedermann zu gönnen wäre, sondern um ein Axiom: daß ein Dasein ohne Macht über andere ein menschenunwürdiges Dasein sei und eine Art von Selbstverwirklichung (wobei man vielleicht ohne Psychiater auskäme) undenkbar. Die in dieser Vorstellung von Menschenwürde erzogen und befangen sind, bekleiden sich mit der Rede von ihrer Verantwortung. Haben sie infolgedessen eine Hoffnung auf Menschenwürde für alle nicht anzubieten –

denn solange Menschenwürde darin besteht, daß wir Macht über andere haben, muß es ja auch diese andern geben –, so bleibt, will man die Mehrheit im Parlament, als gemeinsamer Nenner die Angst: vor der Krise, vor der Arbeitslosigkeit, vor dem äußeren Feind, dessen militärische Rüstung in der Tat bedrohlich ist. Nur entwaffnen wir ihn nicht durch Unterbindung von Reformen im eignen Land. Die Eigentümer-Macht; dabei denke ich an Personen, die zu treffen man Gelegenheit hat als Schriftsteller in Ehren und die, wenn ich manierlich zuhöre, schon beim Aperitif einen lapidaren Konsensus erwarten; Sätze wie diese: ›Eine einzige Atombombe auf Hanoi hätte den Amerikanern all diese Schwierigkeiten erspart‹ / oder zur Lage in Argentinien: ›Solche Leute können ja nur zerstören, das sind nicht Menschen wie Sie und ich, Herr Doktor, die haben noch nie ein Buch gelesen, man muß sie ausrotten wie früher einmal die Indianer‹ / oder in Zürich: ›Daß da Säuglinge massenhaft sterben, mag sein, sie sterben auch ohne dieses Milchpulver, aber es geht diesen jungen Akademikern ja nicht um die Säuglinge und Mütter in der Dritten Welt, das ist doch rein politisch, das sind linke Romantiker‹, Sätze wie diese sind nicht zu erfinden und fallen beiläufig, bevor man zu Tisch geht und zur eigentlichen Konversation. Das Ressentiment gegen die Linke, das zur Zeit das öffentliche Klima in unsern Ländern prägt und nicht zögert, jedes linke Projekt gleichzusetzen mit Gulag oder Baader-Meinhof, ist als Ressentiment der Eigentümer-Macht plausibel, aber auch andern Leuten gefällig, da Ressentiment allemal bequemer ist als die Exerzitien politischen Bewußtseins. Daß längst eine Selbstkritik der Neuen Linken eingesetzt hat, kommt kaum zur Diskussion. Plausibel ist auch, daß die multinationale Eigentümer-Macht, traumatisiert durch die späten sechziger Jahre, die Evidenz nämlich, daß Eigentum zwar Macht gibt, aber keine Autorität, die diese De-facto-Macht legitimiert, in ihrer Terminologie sich besonders vaterländisch gibt: sie erhofft sich eine irrationale Autorität, indem sie, multinational im Geschäft, uns zu Hause lehrt, was SCHWEI-ZERISCH ist oder AMERICAN oder

DEUTSCH. Einer Macht ohne Autorität bleibt die Arroganz, die Verkündung etwa: Sozialismus (den es noch gar nicht gibt) gehöre der Steinzeit an – um nicht einzugestehen, daß sie zum Zustand der Welt, der für alle, inbegriffen die Eigentümer, bedrohlich ist, ihrerseits keine Alternative hat, allenfalls noch die defensive Fiktion, es sei die Umwelt (als Erdganzes) durch Management so einzurichten, daß der Mensch bleiben kann, wie er ist, die Gesellschaft, wie sie ist.

Etwas über den Frieden sagen
Die Prognose, daß für das Menschengeschlecht dank seiner Technologie, die unwiderrufbar ist, der Konflikt mit der Umwelt größer wird als jeder denkbare Konflikt zwischen Nationen oder Machtblöcken, ist bekannt. Während die Abschreckungsstrategie es den Völkern erschwert, der Vernichtung ihrer Lebensmöglichkeit auf diesem Planeten gemeinschaftlich zu begegnen, ist diese Vernichtung trotz Nicht-Krieg bereits im Gang. Was zur Zeit die Diplomatie erreicht unter dem labilen Gleichgewicht

der Raketen-Arsenale, ein von Fall zu Fall unkriegerisches Arrangement zwischen den Machtblöcken, wobei die kleineren Staaten jeweils die Opfer zu bringen haben, ist nicht wenig: Erhaltung des Nicht-Krieges, eine Verlängerung der Gnadenfrist. Voraussetzung für den Frieden wäre der Abbau der Feindbilder. Wer kann sich das innenpolitisch leisten? Auf der andern Seite: Gäbe man nicht die stereotypen Hinweise auf die inhumane Praxis im Privatkapitalismus, die schale Schadenfreude über Arbeitslosigkeit anderswo, Kriminalität anderswo usw., wie trüge die Bevölkerung arbeitsam und stumm die Mißwirtschaft des Staatskapitalismus und die totale Entmündigung des Staatsbürgers? Auf unserer Seite: Wie ließe sich Herrschaft erhalten ohne das Feindbild, das die Existenzangst des Einzelnen in einer Gesellschaft mit rechtsstaatlich geschützter Ausbeutung ummünzt in die gemeinschaftliche Angst vor der Sowjetunion? Also Feindbilder, die innenpolitisch benötigt werden. Zum Teil (aber nur zum Teil) haben die Feindbilder eine historische Berechtigung; Völker haben mit andern

Völkern ihre leidvolle Erfahrung gemacht, die Polen und die Tschechoslowaken zum Beispiel mit den Deutschen und mit den Russen, und es besteht ein natürliches Mißtrauen, das nur langsam abzutragen ist durch eine neue Erfahrung miteinander. Das ist möglich; die Bundesrepublik Deutschland ist nicht Hitler-Deutschland. Die Sorge, eine Politik der Entspannung (einer neuen Erfahrung miteinander) führe nicht zum Frieden, sondern lediglich zur Schwächung der eignen Machtposition, ergibt sich aus der Logik der Machtpolitik: sie sucht Machtexpansion zwar ohne Krieg, aber durch Drohung mit dem Krieg. Dafür braucht sie vor allem ein Feindbild andrer Art: das Feindbild, das nicht auf Erinnerung beruht, sondern auf Antizipation. Die Sowjetunion, zum Beispiel, hat das amerikanische Volk nie überfallen; man war sogar verbündet. Merkwürdigerweise sind es die antizipatorischen Feindbilder, die am allerschwersten sich auflösen lassen; sie sind in die Zukunft gestellt. Wo es um System-Hegemonie geht, ist das Feindbild nicht mehr nationalistisch: Die welsche Tücke,

Das perfide Albion, Die Germanischen Horden usw., das mobilisiert nicht mehr. Die verbissenste Feindbild-Paarung in Europa (wenn wir absehen von den tragischen Iren) besteht zwischen den beiden deutschen Staaten; eine demonstrative Animosität, schmerzlich durch verwandtschaftliche Bindung und durch Vernunft kaum abzubauen, da sie, so vermute ich, mit einer Identitätsnot zu tun hat; wie Karl Jaspers es 1958 an dieser Stelle ausgesprochen hat: »Beide Regime haben ihren Grund im Willen der Besatzungsmächte.« Es wäre nachzutragen: beide sind die Musterschüler ihrer System-Schutzmächte geworden, beide im Begriff, ihren System-Bundesgenossen gegenüber sich als Präzeptor zu sehen.

Unsere Frage:
Wenn wir von Frieden reden, und gesetzt den Fall, wir glauben an seine Möglichkeit: wie stellen wir uns den Frieden vor? 1946 in Frankfurt am Main, als Gast bei ausgebombten Deutschen, verstand ich unter Frieden ganz einfach: Keine Bomben mehr, keine Siege mehr, Entlassung von Kriegs-

gefangenen. In Prag, wo es kaum Trümmer gab, nach einem Besuch in Theresienstadt, wo ich noch den Galgen sah und Tausende von Tüten mit menschlicher Asche, schien die Antwort auch einfach: Friede als Ende der Angst, keine Uniformen der Fremdherrschaft. In Warschau, 1948, hörte ich nach einem stundenlangen Gang durch Trümmerstille plötzlich das Gedröhn von Niethämmern an den ersten Pfeilern einer neuen Brücke über die Weichsel: Der Friede! Dort wie hier das Gespräch (bei halben Zigaretten) mit Zeitgenossen, die nichts besaßen außer der großen Hoffnung: aus den Ruinen werde hervortreten der neue Mensch. Die einen erwarteten ihn als Kommunisten, die andern als Christen. Nun wissen wir: Der neue Mensch ist nicht angetreten. Unsere vernunftmäßige Ablehnung des Krieges als Mittel der Politik besagt noch nicht, daß wir friedensfähig sind. Gesellschaften mit Gewaltstruktur mögen sich den Nicht-Krieg wünschen; der Friede widerspräche ihrem Wesen. Da keine Herrschaft je eingestehen wird, daß sie eine Armee auch braucht, um sie unter Umständen gegen die eigene Bevölkerung einzusetzen, ist sie zwecks Tarnung dieser Armee-Funktion gezwungen zu einer Rüstung, die das Vaterland vor aller Welt zu schützen verspricht; also durch diese Rüstung wiederum gezwungen zur Pflege des Feindbildes, das solchen Kostenaufwand und Verschleiß rechtfertigt, was, alles in allem, keineswegs heißt, daß jemand den Dritten Weltkrieg wünscht. Nur: die Rüstung ist da, die den Nachbarn enerviert und sein Feindbild bestätigt, und damit das Wettrüsten, wobei jedes Feindbild immer auch das eigne Wesen verrät: wie soll denn ein Erpresser von Geblüt je zu dem Vertrauen gelangen, der andere sinne nicht auf Erpressung? Was in diesem Teufelskreis die wissenschaftliche Friedensforschung leistet: sie kalkuliert das Risiko solcher Terrorpolitik; unterrichtet über die technologischen Innovationen, die eine Revision der Strategie verlangen; errechnet die im Augenblick reale Chance für den Nicht-Krieg zwischen friedensunfähigen Gesellschaften, ohne allerdings eine Garantie geben zu können, daß es nicht aus irgendeinem unerforschten Grund oder auch nur durch eine platte Havarie (zum Beispiel eine plötzliche Vernunftschwäche auf der gegnerischen Seite, eine Stupidität in der gegnerischen Kalkulation) trotzdem losgeht morgen oder übermorgen. Eine friedensfähige Gesellschaft wäre eine Gesellschaft, die ohne Feindbilder auskommt. Es gibt Phasen, wo wir nicht ohne Auseinandersetzung auskommen, nicht ohne Zorn, aber ohne Haß, ohne Feindbild: wenn wir (einfach gesprochen) glücklich sind oder zumindest lebendig – zum Beispiel durch eine Art von Arbeit, die nicht nur Lohn einbringt, sondern Befriedigung (die nicht-entfremdete Arbeit), und durch eine Art des Zusammenlebens von Menschen, das Selbstverwirklichung zuläßt. Was meint Freiheit, ein so mißbrauchbares Wort, im Grunde anderes? Freiheit nicht als Faustrecht für den Starken, Freiheit nicht durch Macht über andere. Selbstverwirklichung; sagen wir: wenn es möglich ist, kreativ zu leben. Wie viele Menschen haben in den vorhandenen Gesellschaften aber die Möglichkeit, kreativ zu leben? Das ist durch Wohlstand allein noch nicht gegeben . . .

nein!

Ob der Überlebenswille der Gattung ausreichen wird zum Umbau unserer Gesellschaften in eine friedensfähige, weiß ich nicht. Wir hoffen. Es ist dringlich. Das Gebet für den Frieden entbindet nicht von der Frage nach unserem politischen Umgang mit dieser Hoffnung, die eine radikale ist. Der Glaube an eine Möglichkeit des Friedens (und also des Überlebens der Menschen) ist ein revolutionärer Glaube.

Hochgeschätzte Versammlung,
ich danke dem Börsenverein des Deutschen Buchhandels für die Verleihung einer Würde, die zu tragen ich versuchen will. Ich danke Hartmut von Hentig mit der Versicherung, daß ich nicht bloß das Lob gehört habe, sondern auch seine erweiternden Gedanken, seinen Appell zu einer Wiederherstellung der Politik durch praktizierende Humanität. Ich danke den deutschen Lesern. Einer der ersten war Peter Suhrkamp: Zuspruch mit Maß, die Bereitschaft zur Anerkennung als Vorschuß, Kritik nie aus Geiz, sondern aus der generösen Erwartung, einmal könnte es ja gelingen, Zustim-

mung und Widerspruch als Herausforderung, den eignen Standort in der Zeitgenossenschaft zu suchen, dafür danke ich den Lesern in beiden deutschen Staaten. Ich danke Ihnen, Damen und Herren, für Ihre höfliche Anwesenheit heute. Ich bedanke mich herzlich.

Max Frisch
Wir hoffen

Rede zum Friedenspreis des
Deutschen Buchhandels 1976

Langspielplatte 30 cm, 33 UpM.
DM 20,–

Erscheint im Dezember 1976

Max Frisch
Gesammelte Werke
in zeitlicher Folge

Herausgegeben von Hans Mayer unter Mitwirkung von
Walter Schmitz in zwei textidentischen Ausgaben:

Gesammelte Werke in sechs Bänden, Dünndruck,
Leinen.

werkausgabe edition suhrkamp in zwölf Bänden.

Über Max Frisch I
Herausgegeben von
Thomas Beckermann
edition suhrkamp 404
7. Auflage

Über Max Frisch II
Herausgegeben von Walter Schmitz
edition suhrkamp 852
2. Auflage

Alphabetisches Verzeichnis der edition suhrkamp